O VENTO SABE MEU NOME

Da autora:

Afrodite
O Amante japonês
Amor
O Caderno de Maya
A casa dos espíritos
Contos de Eva Luna
De amor e de sombra
Eva Luna
Filha da fortuna
A ilha sob o mar
Inés da minha alma
O jogo de Ripper
Longa pétala de mar
Meu país inventado
Muito além do inverno
Paula
O plano infinito
Retrato em sépia
A Soma dos Dias
Zorro
Mulheres de minha alma
Violeta

Trilogia *As aventuras da águia e do jaguar*

A cidade das feras
O reino do dragão de ouro
A floresta dos pigmeus

ISABEL ALLENDE

O VENTO SABE MEU NOME

Tradução de
Ivone Benedetti

5ª edição

BERTRAND BRASIL
Rio de Janeiro | 2025

CIP-BRASIL. CATALOGAÇÃO NA PUBLICAÇÃO
SINDICATO NACIONAL DOS EDITORES DE LIVROS, RJ

A428c Allende, Isabel, 1942-
O vento sabe meu nome / Isabel Allende ; tradução Ivone Benedetti. - 5. ed.
- Rio de Janeiro : Bertrand Brasil, 2025.

Tradução de: El viento conoce mi nombre
ISBN 978-65-5838-189-1

1. Ficção chilena. I. Benedetti, Ivone. II. Título.

CDD: 868.99333
23-83868 CDU: 82-3(83)

Gabriela Faray Ferreira Lopes - Bibliotecária - CRB-7/6643

Título original: *El viento conoce mi nombre*

Texto revisado segundo o Acordo Ortográfico da Língua Portuguesa de 1990.

EDITORA BERTRAND BRASIL LTDA.
Rua Argentina, 171 — 3º andar — São Cristóvão
20921-380 — Rio de Janeiro — RJ
Tel.: (21) 2585-2000,

A Lori Barra e Sarah Hillesheim
por seu coração compassivo

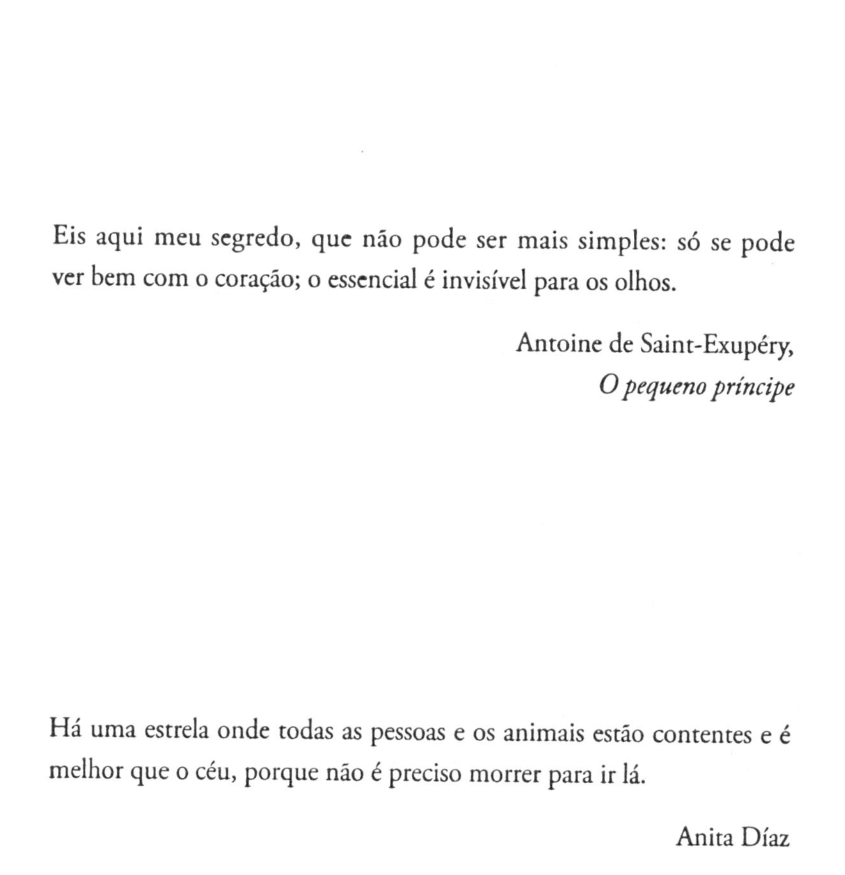

Eis aqui meu segredo, que não pode ser mais simples: só se pode ver bem com o coração; o essencial é invisível para os olhos.

Antoine de Saint-Exupéry,
O pequeno príncipe

Há uma estrela onde todas as pessoas e os animais estão contentes e é melhor que o céu, porque não é preciso morrer para ir lá.

Anita Díaz

Os Adler

Viena, novembro-dezembro de 1938

Havia no ar um prenúncio de desgraça. Desde cedo, um vento de incerteza varria as ruas, sibilando entre os prédios, introduzindo-se pelas frestas de portas e janelas. "É o inverno que já chegou", murmurou Rudolf Adler para se animar, mas não podia atribuir ao clima ou ao calendário a opressão que sentia no peito fazia vários meses.

O medo era um fedor de ferrugem e lixo que se impregnara nas narinas de Adler; nem o tabaco de seu cachimbo nem a fragrância cítrica de sua loção de barbear conseguiam atenuá-lo. Naquela tarde o cheiro do medo, agitado pela ventania, impedia-o de respirar, e ele se sentia enjoado e com náuseas. Decidiu despachar os pacientes que esperavam a vez e encerrar as consultas mais cedo. Surpresa, sua assistente perguntou-lhe se estava doente. Ela trabalhava com ele fazia onze anos, e, em todo aquele tempo, o médico nunca havia descuidado de suas obrigações; era um homem metódico e pontual. "Nada sério, só um resfriado, *Frau* Goldberg. Vou para casa", respondeu ele. Acabaram de arrumar o consultório e de desinfetar o instrumental e despediram-se na porta, como todos os dias, sem desconfiarem de que não se veriam de novo. *Frau* Goldberg dirigiu-se à parada do bonde, e Rudolf Adler saiu andando a passos rápidos pelas poucas quadras que o separavam da farmácia, com a cabeça enterrada nos ombros, segurando o chapéu com uma das mãos e a maleta com a outra. O piso estava úmido, e o céu, encoberto; calculou que havia garoado e que mais tarde cairia um daqueles aguaceiros de outono que sempre o surpreendiam sem guarda-chuva. Havia percorrido aquelas ruas mil vezes, conhecia-as de cor e nunca deixava de apreciar sua cidade, uma das mais bonitas do mundo, a harmonia das construções barrocas e *art nouveau*, as árvores majestosas, das quais as folhas já começavam a cair, a praça de seu bairro, a estátua equestre, a vitrine da confeitaria, com sua exibição de doces, e a do antiquário, cheia de curiosidades; mas naquela ocasião não ergueu o olhar do chão. Carregava o peso do mundo nos ombros.

Naquele dia os rumores ameaçadores começaram com a notícia de um atentado em Paris: um diplomata alemão assassinado com cinco tiros por um jovem judeu polonês. Os alto-falantes do Terceiro Reich clamavam por vingança.

Desde março, quando a Alemanha anexara a Áustria e a Wehrmacht desfilara com sua soberba militar pelo centro de Viena, entre os vivas de uma multidão entusiasmada, Rudolf Adler vivia angustiado. Seus temores tinham começado uns anos antes e foram aumentando à medida que o poder dos nazistas se fortaleceu com o financiamento e as armas de Hitler. Recorriam ao terrorismo como arma política, tirando proveito do descontentamento, especialmente da juventude, com os problemas econômicos que se arrastavam desde a Grande Depressão de 1929 e com o sentimento de humilhação produzido pela derrota na Grande Guerra de 1914. Em 1934 haviam assassinado o chanceler Dollfuss, num fracassado golpe de Estado, e desde então haviam matado oitocentas pessoas em diversos atentados. Amedrontavam os opositores, provocavam distúrbios e ameaçavam provocar uma guerra civil. No início de 1938, a situação de violência interna era insustentável, enquanto, do outro lado da fronteira, a Alemanha pressionava para transformar a Áustria em uma de suas províncias. Apesar das concessões feitas pelo governo diante das exigências alemãs, Hitler ordenou a invasão. O partido nazista austríaco preparara o terreno, e as tropas invasoras não só não encontraram nenhuma resistência, como também foram aclamadas pela maior parte da população. O governo se rendeu, e dois dias depois Hitler em pessoa entrou triunfante em Viena. Os nazistas estabeleceram controle absoluto no território. Toda a oposição foi declarada ilegal. As leis germânicas, o aparato de repressão da Gestapo e das SS e o fanatismo antissemita entraram em vigor imediatamente.

Rudolf sabia que até Rachel, sua mulher, que antes era racional e prática, sem a menor tendência a imaginar desgraças, agora estava quase paralisada pela ansiedade e só funcionava com ajuda de medicamentos. Ambos procuravam proteger a inocência do filho Samuel, mas o menino, que ia fazer seis anos, tinha maturidade de adulto; observava, ouvia e entendia sem fazer perguntas. No começo, Rudolf medicava a mulher com os mesmos tranquilizantes receitados a alguns pacientes seus, mas, como nela essas drogas produziam cada vez menos efeito, ele reforçou o tratamento com umas gotas poderosas, que conseguia em frascos escuros e sem etiqueta. Ele precisava daquelas gotas tanto quanto ela, mas não podia tomá-las, porque interfeririam em sua habilidade profissional.

As gotas eram entregues sigilosamente por Peter Steiner, dono da farmácia, seu amigo de muitos anos. Adler era o único médico a quem Steiner confiava sua saúde e a da família; nenhum decreto das autoridades que proibisse relações entre arianos e judeus podia alterar a estima que os unia. Nos últimos meses, porém, Steiner precisava evitar Adler em público, porque não podia ter problemas com o comitê nazista do bairro. No passado, os dois haviam jogado mil partidas de pôquer e xadrez, compartilhado livros e jornais e costumavam fazer excursões às montanhas ou ir pescar para fugir das respectivas esposas, como diziam rindo, e, no caso de Steiner, para escapar de sua manada de filhos. Agora Adler não participava dos jogos de pôquer nos fundos da farmácia de Steiner. O farmacêutico recebia Adler pela porta de trás e entregava-lhe a droga sem registrar na contabilidade.

Antes da anexação, Peter Steiner jamais questionara a origem dos Adler, supunha-os tão austríacos quanto ele. Não ignorava que eram judeus, como outros cento e noventa mil habitantes do país, mas aquilo nada significava. Era agnóstico; o cristianismo no qual se educara parecia-lhe tão irracional como todas as outras religiões, e ele sabia que Rudolf Adler também pensava assim, embora praticasse alguns rituais por consideração à esposa. Para Rachel, era importante que o filho Samuel tivesse o sustentáculo da tradição e da comunidade judaica. Às sextas-feiras à tarde, os Steiner costumavam ser convidados para o *shabat* em casa dos Adler. Rachel e a cunhada Leah esmeravam-se nos detalhes: a melhor toalha de mesa, as velas novas, a receita de peixe herdada da avó, o pão e o vinho. Rachel e a cunhada eram muito unidas. Leah enviuvara jovem e não tinha filhos, por isso se apegara à pequena família do irmão Rudolf. Embora Rachel lhe pedisse que fosse morar com eles, ela insistia em viver sozinha, mas os visitava com frequência. Era muito sociável e colaborava com vários programas da sinagoga para ajudar os integrantes mais necessitados da comunidade. Rudolf era o único irmão que lhe restava, desde que o caçula emigrara para um *kibutz* na Palestina, e Samuel era seu único sobrinho. Rudolf presidia a mesa do *shabat*, como se espera do chefe de família. Com as mãos sobre a cabeça de Samuel, pedia que Deus o abençoasse e protegesse, que lhe desse a graça e concedesse a paz. Em mais de uma ocasião Rachel surpreendeu uma piscada entre o marido e Peter Steiner. Deixava passar, achando que não se tratava de um gesto de deboche, mas apenas de cumplicidade entre aqueles dois descrentes.

Os Adler pertenciam à burguesia secular e culta que caracterizava a boa sociedade vienense em geral e a judaica em particular. Rudolf explicara a Peter que sua gente tinha sido discriminada, perseguida e expulsa de todos os lugares durante séculos, por isso dava muito mais valor à educação do que aos bens materiais. Os judeus podiam ser despojados de todas as posses, como ocorrera constantemente ao longo da história, mas ninguém podia tirar-lhes o preparo intelectual. Um título de doutor era muito mais respeitado que uma fortuna no banco. Rudolf provinha de uma família de artesãos que tinha orgulho por um dos seus ser médico. A profissão conferia prestígio e autoridade, mas em seu caso não se traduzia em dinheiro. Rudolf Adler não era um dos cirurgiões da moda nem professor na antiga Universität Wien, era um médico de bairro, estudioso e generoso, que atendia gratuitamente a metade dos pacientes.

***

A amizade de Adler e Steiner baseava-se em profundas afinidades e valores, ambos tinham a mesma curiosidade voraz pela ciência, eram amantes da música clássica, leitores impenitentes e simpatizantes clandestinos do partido comunista, proibido desde 1933. Também eram unidos por uma repulsa visceral ao nacional-socialismo. Desde que Adolf Hitler deixara de ser chanceler para se proclamar ditador com poderes absolutos, eles se reuniam nos fundos da farmácia para se lamentarem do mundo e do século em que lhes cabia viver e a consolar-se com um *brandy* capaz de corroer metais, que o farmacêutico destilava no porão, subsolo de múltiplas utilidades onde ele guardava em perfeita ordem o necessário para preparar e acondicionar muitos dos medicamentos que vendia. Às vezes Adler levava o filho Samuel àquele porão para "trabalhar" com Steiner. O menino distraía-se durante horas misturando e engarrafando pós e líquidos coloridos, que o farmacêutico lhe dava. Nenhum de seus filhos gozava daquele privilégio.

Doía na própria alma de Steiner cada lei destinada a acachapar a dignidade do amigo. Ele comprara nominalmente o local do consultório e o apartamento de Adler, para impedir que fossem confiscados. O consultório tinha ótima localização no térreo de um edifício nobre, e Adler morava com a família no primeiro andar; naquelas propriedades o médico investira tudo/todo o seu capital, e, transferi-las para o nome de outra pessoa, ainda que fosse seu amigo Peter, constituiu uma medida extrema que ele tomou sem consultar a mulher. Rachel jamais teria aceitado.

Rudolf Adler procurava convencer-se de que a histeria antissemita logo se acalmaria, já que não tinha cabimento em Viena, a cidade mais refinada da Europa, berço de grandes músicos, filósofos e cientistas, muitos dos quais judeus. A retórica incendiária de Hitler, que fora subindo de tom nos últimos anos, era mais uma manifestação do racismo suportado por seus antepassados, mas que não os impedira de conviver e prosperar. Por precaução, tinha retirado seu nome da porta do consultório, o que era um inconveniente menor, visto que ele ocupava aquele local havia muitos anos e era bem conhecido. Sua clientela se reduziu, porque os pacientes arianos tiveram de abandoná-lo, mas ele imaginava que, arrefecidos os ânimos na cidade, eles voltariam. Confiava em sua habilidade profissional e em sua merecida reputação; contudo, à medida que passavam os dias e o clima de tensão piorava, Adler começou a acalentar a ideia de emigrar para outro lugar, a fim de escapar do temporal desencadeado pelos nazistas.

Rachel Adler pôs um comprimido na boca e o engoliu sem água, enquanto esperava o troco na padaria. Estava vestida na moda, com tons de bege e bordô, casaco ajustado na cintura, chapéu de lado, meias de seda e saltos altos; era bonita e ainda não tinha trinta anos, mas sua expressão severa a envelhecia vários anos. Tentou esconder o tremor das mãos com as mangas e responder em tom leve aos comentários do padeiro sobre o atentado em Paris.

— O que pretendia aquele rapaz idiota que matou o diplomata? Só podia ser polonês! — exclamou o homem.

Ela acabava de dar a última aula a seu melhor aluno, um garoto de quinze anos que estudava piano com Rachel desde os sete, um dos poucos que levavam a música a sério. "Desculpe, *Frau* Adler, a senhora compreende...", dissera a mãe ao despedi-la. Pagou o triplo do valor da aula e esteve a ponto de lhe dar um abraço, mas se conteve por receio de ofendê-la. Sim, Rachel compreendia. Estava agradecida, porque aquela mulher lhe deu emprego durante vários meses, mais do que devia. Fez esforço para conter as lágrimas e sair de cabeça erguida; tinha carinho por aquele garoto e não o julgava por usar com orgulho o calção preto e a camisa parda do uniforme das Juventudes Hitleristas, com o lema "sangue e honra". Todos os jovens pertenciam ao movimento, era praticamente obrigatório.

— Veja só em que perigo esse polonês nos colocou! Ouviu o que estão dizendo no rádio, *Frau* Adler? — continuou pontificando o padeiro.

— Tomara que não passe de ameaças — disse ela.

— Vá depressa para casa, *Frau* Adler. Uns grupos de rapazes agitadores andam pelas ruas. A senhora não deve andar sozinha. Logo vai escurecer.

— Boa tarde e até amanhã — balbuciou Rachel, colocando o pão na sacola e o troco no porta-níqueis.

Lá fora, aspirou o ar frio a plenos pulmões e tentou livrar-se dos presságios sombrios que a invadiam desde o amanhecer, muito antes de ouvir o rádio e de saber dos rumores alarmantes que circulavam pelo bairro. Refletiu que as nuvens escuras prenunciavam chuva e concentrou-se no que ainda devia fazer. Precisava comprar vinho e velas para sexta-feira, sua cunhada viria para o *shabat*, como fazia todas as semanas, assim como os Steiner com os filhos. Sentiu que, apesar do medicamento que acabava de tomar, os nervos podiam traí-la em plena rua – precisava de suas gotas – e decidiu deixar as compras para o dia seguinte. Duas quadras adiante viu o prédio onde morava, um dos primeiros de puro estilo *art nouveau*, construído em fins do século XIX. Quando Rudolf Adler comprou um espaço no térreo da rua para montar o consultório e um apartamento para a família, as linhas orgânicas, as janelas e sacadas curvas e os vitrais de flores estilizadas tinham escandalizado a conservadora sociedade vienense, acostumada à elegância barroca, mas o *art nouveau* se impôs e, em pouco tempo, o edifício passou a ser um ponto de referência na cidade.

Rachel teve a tentação de passar pelo consultório para cumprimentar o marido, mas descartou a ideia imediatamente. Rudolf tinha muitos problemas próprios, e ela não podia afligi-lo com suas apreensões. Além disso, Samuel a esperava desde a manhã na casa da tia. Leah Adler era professora e se oferecera para dar aulas a várias crianças. Samuel era alguns anos mais novo que os outros, mas não ficava atrás no aprendizado. Muitas crianças judias tinham sido maltratadas na escola, e algumas mães da comunidade haviam se organizado para dar aulas particulares aos menores, enquanto os maiores recebiam escolaridade na sinagoga. Tratava-se de uma medida de emergência, pensavam. Rachel passou ao largo e foi buscar o filho, deixando de reparar que o consultório do marido estava fechado àquela hora inusitada. Em geral, Rudolf atendia até as seis da tarde, exceto às sextas-feiras, quando chegava para jantar antes do pôr do sol.

O apartamento de Leah, modesto, mas bem localizado, consistia em dois quartos com móveis de segunda mão; era decorado com fotografias emolduradas do marido prematuramente falecido e com lembranças das viagens que ela chegara a fazer com ele antes de enviuvar. Nos dias em que recebia os alunos, no ar pairava o cheiro de biscoitos recém-assados. Rachel Adler encontrou outras três mães que, indo buscar os filhos, tinham ficado para tomar chá e ouvir Samuel tocar o *Hino à alegria*. O menino era comovente, tão pequeno e magro, com seus joelhos arranhados, sua cabeleira indomável e sua concentração de sábio, movendo-se ao som da música de seu violino, completamente alheio à sensação que causava. Um coro de exclamações e aplausos explodiu com as últimas notas. Samuel demorou alguns segundos para despertar do transe e voltar àquele círculo de mulheres e crianças. Saudou com breve reverência e, enquanto a tia corria para beijá-lo, a mãe dissimulou um sorriso de satisfação. Era uma peça relativamente fácil, que o menino aprendera em menos de uma semana, mas Beethoven sempre impressionava. Rachel sabia que o filho era um prodígio, mas sentia horror a qualquer forma de jactância e nunca mencionava esse fato, esperava que os outros o fizessem. Ajudou Samuel a vestir o casaco e guardar o instrumento no estojo, despediu-se depressa da cunhada e das outras mulheres e partiu de volta para casa, calculando que teria o tempo justo para pôr o assado no forno antes do jantar. Fazia alguns meses não contava com ajuda doméstica, porque a empregada húngara, que estava com ela havia vários anos, fora deportada, e ela não tinha ânimo para procurar outra.

Mãe e filho passaram pela frente da porta do consultório sem parar e entraram no amplo vestíbulo do edifício. As luminárias de vidro pintado com motivos de nenúfares estavam acesas, iluminando o ambiente em tons de verde e azul. Subiram ao primeiro andar pela larga escada dupla, cumprimentando de passagem a porteira, que de seu cubículo vigiava o tempo todo. A mulher não respondeu. Raramente o fazia.

O apartamento dos Adler era espaçoso e cômodo, com móveis pesados de mogno, destinados a durar a vida inteira, que não combinavam com aquela arquitetura de linhas leves e simples. O avô de Rachel tinha sido antiquário, e os descendentes haviam herdado quadros, tapetes e adornos de excepcional qualidade, ainda que fora de moda. Rachel, criada com refinamento, procurava viver com distinção, apesar de os ganhos do marido e de suas aulas de música não poderem se comparar aos dos avós. Sua elegância era discreta, porque a ostentação a repugnava tanto quanto a jactância. Na infância, tinham-lhe inculcado a ideia do risco de provocar inveja nos outros.

Num canto da sala, perto da janela que dava para a rua, ficava o piano de cauda, um Blüthner que pertencera à sua família por três gerações. Era seu instrumento de trabalho, já que o usava com a maioria dos alunos, e era também seu único entretenimento nas horas de solidão. Tocava-o desde pequena com maestria, mas na adolescência, ao compreender que não tinha o talento necessário para se transformar em concertista, resignou-se a ensinar. Era boa professora. O filho, em compensação, tinha um gênio musical que se apresenta raríssimas vezes. Samuel sentava-se ao piano desde os três anos e tocava de ouvido qualquer melodia que ouvisse uma única vez, mas preferia o violino, porque podia levá-lo consigo a todos os lugares, como dizia. Rachel não pôde ter mais filhos e depositava em Samuel todo o seu amor de mãe. Adorava-o e não podia se abster de mimá-lo, porque o menino não dava trabalho, era amável, obediente e estudioso.

Meia hora depois, Rachel ouviu um tumulto na rua e foi à janela olhar. Estava escurecendo. Viu passar meia dúzia de jovens que pareciam bêbados, gritando palavras de ordem do partido nazista e impropérios contra os judeus – sanguessugas!, malditos!, assassinos! –, os mesmos qualificativos que tinha ouvido outras vezes e lido na imprensa e nos panfletos alemães. Um deles carregava uma tocha, e outros iam armados de paus, martelos e pedaços de canos de metal. Rachel afastou Samuel da janela, fechou as cortinas e se preparou para descer e chamar o marido, mas o menino se agarrou à sua saia. Samuel estava acostumado a ficar sozinho, mas parecia tão assustado que a mãe decidiu esperar. Lá fora, o alvoroço diminuiu, e ela imaginou que a turba tinha se afastado. Tirou o assado do forno e começou a pôr a mesa. Não quis ligar o rádio. As notícias eram sempre muito ruins.

Peter Steiner recebeu o amigo nos fundos da farmácia, onde eram esperados pelo jogo de xadrez que tinham começado na tarde anterior e pela garrafa de *brandy*, que já ia pela metade. As instalações da célebre Farmácia Steiner eram da mesma família desde os tempos do bisavô, em 1830, e cada geração se preocupara em mantê-las em perfeito estado. Ainda se conservavam as prateleiras e os mostradores de mogno talhado, os acessórios de bronze trazidos da França e uma dúzia de antigos frascos de cristal, que mais de um colecionador pretendera comprar e que, segundo o dono, valiam uma fortuna. As vitrines que davam para a rua eram emolduradas por guirlandas de flores pintadas, o chão era de ladrilhos portugueses, um tanto gastos por mais de um século de uso, e os fregueses se anunciavam com um repique de sinetas de prata, dependuradas sobre a porta. A Farmácia Steiner era tão pitoresca, que recebia a visita de turistas e tinha aparecido em artigos de revista e num livro de fotografias, como símbolo da cidade.

O fato de Rudolf Adler chegar tão cedo num dia de trabalho chamou a atenção de Peter.

— Aconteceu alguma coisa com você? — perguntou.

— Não sei, estou sufocando. Acho que vai me dar um ataque.

— Não, homem, você ainda é muito novo para isso. São os nervos, você está tenso. Tome um trago, isto cura tudo — replicou Steiner, servindo dose dupla ao amigo.

— Já não é possível viver neste país, Peter. Os nazistas nos mantêm cercados. A repressão vai criando círculos cada vez mais apertados e precisos. Não podemos entrar em certos restaurantes e lojas, ameaçam nossos filhos nas escolas, tiram nossos empregos nas repartições públicas, confiscam nossos comércios e propriedades, proíbem o exercício de nossa profissão ou o amor por alguém de outro povo.

— Esta situação é insustentável, logo vai ter de melhorar — disse Peter, sem muita convicção.

— Você está enganado. A situação vai piorar cada vez mais. É preciso ter cegueira seletiva para achar que nós, judeus, podemos continuar vivendo com certa normalidade. É impossível evitar a violência que nos ameaça. Cada dia promulgam novos decretos.

— Lamento tanto isso, meu amigo! Como posso ajudar?

— Você já fez muito por mim, mas não pode me proteger. Os nazistas nos consideram um tumor maligno que precisa ser extirpado da nação. Minha família viveu na Áustria durante seis gerações! As humilhações vão se somando. O que mais podem tirar de nós? A vida, só resta isso.

— Ninguém pode tirar de você o título de médico nem seus bens. Foi boa ideia pôr o consultório e o apartamento em meu nome.

— Obrigado, Peter. Você é o irmão que nunca tive. Estou muito preocupado. Os instintos mais baixos andam fora de controle. Hitler ainda vai ficar muito tempo no poder e tentará tomar posse da Europa. Acho que nos levará à guerra. Você imagina o que seria isso?

— Outra guerra! — exclamou Steiner. — Não, seria um suicídio coletivo. Nós aprendemos a lição com a guerra anterior. Lembre-se do horror... da derrota...

— Nós, judeus, somos os bodes expiatórios. Metade das pessoas que conheço está dando um jeito de escapar. Preciso convencer a Rachel a irmos embora.

— Ir? Para onde? — perguntou Steiner, alarmado

— É quase impossível conseguir visto para a Inglaterra ou os Estados Unidos, essas seriam as melhores opções, mas eu sei de várias pessoas que foram para a América do Sul...

— Como assim, você vai embora! O que vou fazer sem você?

— Suponho que seria só por algum tempo. Além disso, ainda não decidi, primeiro preciso convencer a Rachel. Vai ser difícil ela concordar em largar esta vida que construímos com anos de trabalho, deixar até o pai e o irmão. Também não vai ser fácil convencer minha irmã Leah, mas eu não poderia deixá-la aqui.

— É uma decisão muito drástica, Rudy.

— Tenho de pensar em Samuel. Meu filho não pode crescer como um pária.

— Espero que você não vá embora, mas, se for, eu vou cuidar do que é seu, Rudy. Quando voltar, tudo estará intacto, à sua espera.

Estavam no segundo cálice de bebida quando ouviram um alvoroço lá fora. Espiaram pela porta e viram uma horda invadindo a rua, homens, rapazotes e algumas mulheres que vinham vociferando ameaças e palavras de ordem do partido e empunhando martelos, paus e outros objetos contundentes. "À sinagoga! Ao bairro dos judeus!", gritavam os que iam na frente. Algumas pedras foram arremessadas e ouviu-se o barulho inconfundível de vidros quebrados, que foi acolhido por um clamor de celebração. A turba era um único animal arrebatado que agia em uníssono com uma alegria assassina.

— Ajude a fechar a farmácia! — exclamou Steiner, mas Adler já estava na rua, correndo em direção à sua casa.

***

O terror invadiu a noite. Rachel Adler demorou dez minutos para perceber a gravidade do que estava acontecendo, porque suas cortinas estavam fechadas, e a estridência de fora lhe chegava em surdina. Achou que o bando de rapazes, visto antes, estava de volta. Para distrair Samuel, pediu-lhe que tocasse alguma coisa, mas o menino parecia paralisado, como se pressentisse a tragédia que ela ainda se negava a admitir. De repente, algo estourou contra a janela, e o vidro caiu despedaçado ao chão. Seu primeiro impulso foi calcular o custo de repor aquela janela curva de vidro biselado. Imediatamente uma segunda pedrada quebrou outro vidro, e a cortina se desprendeu do trilho e ficou pendente de uma ponta. Pela janela destroçada, Rachel vislumbrou uma nesga de céu alaranjado e recebeu, numa lufada, o cheiro de fumaça e incêndio. Um clamor selvagem entrou no apartamento como rajada, e ela então entendeu que se tratava de coisa muito mais perigosa do que um grupo de moleques bêbados. Ouviu gritos furiosos e outros de pânico em meio ao estrépito contínuo de vidros estilhaçados. "Rudolf!", exclamou aterrorizada. Tomou Samuel por um braço e o arrastou para a porta. O menino conseguiu pegar o estojo do violino.

Somente a ampla escada de mármore, com seu corrimão de madeira e bronze, separava o apartamento do consultório, mas Rachel não chegou até ela. Theobald Volker, seu vizinho de um apartamento no segundo andar, militar reformado com quem raras vezes ela havia trocado mais de duas palavras, já estava no corredor e se pôs à sua frente, segurando-a com firmeza. Rachel viu-se prensada contra o peito largo daquele velho ranzinza, que lhe dizia algo incompreensível, enquanto ela se debatia chamando o marido. Demorou mais de um minuto para perceber que Volker tentava impedi-la de descer, porque um grupo tinha arrombado a porta de madeira talhada, despedaçado os vitrais do prédio e já estava no vestíbulo.

— Venha comigo, *Frau* Adler! — ordenou o vizinho com o vozeirão de quem sabe mandar.

— Meu marido!

— A senhora não pode descer! Pense em seu filho!

E a empurrou escada acima para seu próprio apartamento, onde ela nunca tinha posto os pés.

A moradia de Volker era idêntica à dos Adler, mas não tinha nada de sua claridade e elegância, mostrava-se sombria e gelada, com poucos móveis, sem mais adornos além de duas fotografias numa estante. O homem a conduziu à força para a cozinha, enquanto Samuel, mudo e agarrado ao violino, seguia os dois. Volker abriu uma portinhola estreita que dava para uma despensa e indicou que deviam esconder-se ali, sem dar um pio até que ele viesse chamá-los. Depois que fechou o gabinete, Rachel e Samuel ficaram de pé, abraçados num espaço muito estreito, imersos em total escuridão. Ouviram Volker arrastar um móvel pesado.

— O que está acontecendo, mamãe?

— Não sei, meu amor, fique quieto e não fale... — sussurrou a mãe.

— Aqui o papai não vai nos encontrar quando chegar — disse Samuel no mesmo tom.

— É só um tempinho. Há uns homens violentos no prédio, mas eles logo vão embora.

— São nazistas, né, mamãe?

— São.

— Todos os nazistas são malvados, mamãe?

— Não sei, filhinho. Deve haver bons e ruins.

— Mas os ruins são mais, acho — disse o menino.

Theobald Volker já era militar de carreira quando lhe incumbiu defender o Império Austro-Húngaro em 1914. Provinha de uma família de camponeses sem nenhuma tradição militar, mas destacou-se no exército. Tinha quase um metro e noventa de altura e a força física e o carácter disciplinado de alguém nascido para aquela profissão, mas em segredo escrevia poesias e sentia saudade da existência pacata no campo, plantando e criando animais, ao lado da mulher que ele amara desde a adolescência. Nos quatro anos da guerra, perdeu tudo o que dava sentido a sua vida: o único filho, que pereceu no campo de batalha aos dezenove anos, a mulher adorada, que se suicidou de dor, e sua fé na pátria, que, afinal, não passava de uma ideia e uma bandeira.

Quando a guerra acabou, ele tinha cinquenta e dois anos, patente de coronel e o coração partido. Não se lembrava do porquê de ter lutado. Enfrentou a derrota atormentado pelos fantasmas de vinte milhões de mortos. Não havia lugar para ele naquela Europa em ruínas, onde apodreciam em valas comuns os despojos misturados de soldados, mulheres, crianças, mulas e cavalos. Durante alguns anos, sustentou-se graças a diversos empregos indignos, suportando a má sorte dos vencidos, até que a idade e os achaques o obrigaram a aposentar-se. Desde então vivia sozinho, ocupado em ler, ouvir rádio e compor versos. Saía só uma vez por dia para comprar jornal e o necessário para fazer a comida. Suas medalhas de herói ainda estavam presas à velha farda, que ele vestia uma vez por ano para o aniversário do armistício, que selou a dissolução do império pelo qual ele havia lutado durante quatro anos terríveis. Nesse dia ele escovava e passava a ferro a farda, lustrava as medalhas e limpava as armas; depois abria uma garrafa de aquavita e se embebedava metodicamente, maldizendo a solidão. Era um dos poucos vienenses que não haviam saído para dar vivas às tropas alemãs no dia da anexação, porque não se identificava com aqueles homens que marchavam com passo de ganso. Por experiência, desconfiava do fervor patriótico.

No prédio, os adultos evitavam o coronel, que nem respondia a cumprimentos, e as crianças tinham medo dele. A exceção era Samuel. Rachel e Rudolf passavam grande parte do dia ocupados em seus respectivos trabalhos, e a mulher que antes comparecia diariamente para atender ao serviço doméstico dos Adler ia embora às três da tarde. O menino, se não estivesse com a tia Leah, passava algumas horas sozinho, ocupado com as tarefas escolares e com sua música. Ele logo percebeu que, quando praticava violino ou piano, o vizinho descia discretamente para o primeiro andar com uma cadeira e sentava-se no corredor para ouvi-lo. Sem que ninguém pedisse, Samuel começou a deixar a porta aberta. Esmerava-se tocando o melhor possível para aquele público de uma única pessoa, que o escutava em respeitoso silêncio. Nunca se falavam, mas, quando se encontravam no prédio ou na rua, trocavam uma inclinação de cabeça tão leve que Rachel não se apercebera da delicada relação do filho com Volker.

Depois de trancar a vizinha e o menino e de disfarçar a porta da despensa com a mesa da cozinha, o coronel vestiu depressa a farda cinzenta com dragonas douradas e a coleção de medalhas, colocou a cartucheira com a Luger, antiquada, mas em perfeito funcionamento, e ficou esperando na porta de seu apartamento.

Peter Steiner demorou-se vários minutos protegendo a vitrine da farmácia com a persiana de madeira e baixando a porta metálica. Vestiu o casaco e saiu apressado pela porta de trás, disposto a seguir o amigo Rudolf, mas mesmo naquela estreita rua lateral passavam revoltosos proferindo ameaças. Espremeu-se no patamar de uma casa para se esconder de um grupo de agressores e ali esperou até que desaparecessem na esquina, antes de sair. Era um homem corpulento, de pele corada, cabelos loiros, curtos e lisos como escova, olhos tão claros que pareciam nublados e braços de halterofilista, que lhe permitiam ganhar de qualquer um em provas de força. Com exceção de sua mulher, ninguém o intimidava, mas ele decidiu evitar aquela horda incontrolável de bárbaros e dar uma grande volta, rezando para que Rudolf Adler tivesse feito o mesmo. Em poucos minutos, o farmacêutico percebeu que a vizinhança tinha sido invadida, e não havia maneira de se esquivar do tumulto para se aproximar do consultório do amigo. Não pensou duas vezes. Uniu-se à multidão. Com um puxão, arrebatou um estandarte do partido das mãos de um rapaz, que não se atreveu a protestar, e deixou-se levar pela maré humana, desfraldando a bandeira.

Naquelas poucas quadras, Peter Steiner teve clara ideia do caos que se instalara naquele bairro tranquilo, onde tradicionalmente morava e trabalhava parte da numerosa comunidade judaica da cidade. Não restava um único vidro intacto nas lojas; ardiam fogueiras nas quais os amotinados jogavam o que tiravam de casas e escritórios, desde livros até móveis; a sinagoga incendiava-se pelos quatro lados ante o olhar impassível dos bombeiros, dispostos a intervir somente se as chamas ameaçassem estender-se para outros edifícios. Viu como arrastavam um rabino pelos pés, com a cabeça ensanguentada batendo contra as pedras do calçamento; viu como surravam os homens, como arrancavam roupas e cabelos de mulheres, como esbofeteavam crianças e pisoteavam e encharcavam de urina os idosos. De algumas sacadas, os curiosos incentivavam os agressores, e numa janela alguém saudava com o braço direito levantado e uma garrafa de champanhe na mão esquerda, mas a maioria das casas e dos prédios de apartamentos estava fechada e com as cortinas corridas.

O farmacêutico se deu conta, espantado com sua própria reação, de que a energia bestial da multidão é contagiosa e libertadora, de que ele também sentia o impulso de destruir, queimar e gritar até sufocar, de que estava se transformando num monstro. Ofegante, coberto de suor, com a boca seca e a pele eriçada pela descarga de adrenalina, acocorou-se atrás de uma árvore, tratando de recuperar o fôlego e a sensatez. "Rudy... Rudy...", murmurou e continuou repetindo em voz alta até que o nome do amigo o ajudasse a recobrar o juízo. Precisava encontrá-lo antes que ele caísse nas mãos da turba. Ficou de pé e continuou avançando, protegido pelo estandarte e por seu aspecto de ariano puro.

Tal como Steiner temia, o consultório de Adler havia sido devastado, as paredes estavam pichadas com insultos e emblemas do partido, a porta arrancada dos batentes e todos os vidros quebrados. Móveis, estantes, lustres, instrumentos médicos, frascos, todo o conteúdo do consultório jazia espalhado na rua. Ele não encontrou nem sombra do amigo.

O coronel Theobald Volker recebeu os primeiros assaltantes plantado de braços cruzados no limiar de seu apartamento. Haviam-se passado menos de quinze minutos desde que eles tinham arrombado a porta de entrada e se espalhado como ratazanas pelos andares. Volker imaginou que a porteira ou algum dos inquilinos tivesse denunciado os judeus, talvez até marcado seus apartamentos, porque mais tarde, ao percorrer o prédio, percebeu que os assaltantes tinham derrubado algumas portas e deixado outras intactas. A dos Adler não tinha sido destruída porque ficara entreaberta.

Uma meia dúzia de homens e rapazes bêbados de violência, com braceletes do partido, apareceu no patamar da escada vociferando insultos e palavras de ordem. Um deles, que parecia liderar os outros, deu de cara com o coronel no corredor. Carregava um cano de ferro e já o erguera, disposto a desferi-lo, mas ficou momentaneamente paralisado diante daquele velho gigantesco, metido numa farda antiquada, que o olhava de cima com ar autoritário.

— Judeu? — ladrou.

— Não — respondeu Volker sem erguer a voz.

Nisso, ouviram os gritos dos outros, frustrados por não terem encontrado os habitantes do apartamento dos Adler. Dois homens, um pouco mais velhos, apareceram na escada e encararam Volker.

— Quantos judeus moram aqui? — perguntou um deles.

— Não sei dizer.

— Saia da frente, vamos revistar o seu apartamento!

— Com que autoridade? — respondeu o coronel, pondo a mão na cartucheira da Luger.

Os homens deliberaram brevemente entre si e decidiram que não valia a pena incomodar-se com aquele velho. Ele era tão ariano quanto eles e estava armado. Desceram para o apartamento dos Adler e ajudaram os outros a destruir tudo o que pudessem, desde a louça até os móveis, e a atirar pelas janelas o que lhes dava na cabeça. Vários se juntaram para arrastar o piano até a sacada com a intenção de jogá-lo na rua, mas, como ele era mais pesado do que previam, optaram por estripá-lo.

O vandalismo durou poucos minutos, e o efeito era o da explosão de uma granada. Antes de irem embora, despejaram a lata de lixo sobre as camas, rasgaram com faca a tapeçaria dos móveis, roubaram os objetos de prata, tesouro de Rachel Adler, derramaram gasolina no tapete e atearam fogo. Desceram as escadas em tropel e misturaram-se à multidão feroz da rua.

O coronel esperou apenas o suficiente para ter certeza de que tinham ido embora e desceu ao apartamento saqueado dos Adler. Constatou que o fogo ainda se limitava ao tapete e, com a precisão e a calma que o caracterizavam, pegou-o por uma ponta e dobrou-o, sufocando as chamas. Em seguida, pegou os cobertores de um dormitório e os pressionou sobre o tapete para ter certeza de que ele não continuaria queimando. Endireitou uma poltrona, que estava tombada, e sentou-se, respirando com dificuldade. "Já não sou o mesmo", murmurou, lamentando a passagem dos anos.

Ficou ali, esperando o tambor que retumbava em seu peito tranquilizar-se e refletindo sobre a situação. Era muito pior do que havia imaginado umas horas antes, quando ouviu pelo rádio que estavam chamando as pessoas para manifestar-se contra a conspiração dos judeus. O ministro da Propaganda da Alemanha, falando em nome de Hitler, anunciara que as manifestações de repúdio ao assassinato do diplomata em Paris não seriam organizadas pelo partido, mas seriam permitidas. A indignação do povo alemão e austríaco era plenamente justificável, disse. Era um convite ao saque, à destruição e à matança. O coronel deduziu que a multidão enlouquecida, à primeira vista uma horda sem outro propósito além da violência, não agia por impulso espontâneo, mas estava preparada, tinha identificado o alvo e estava certa da impunidade. Os agressores deviam ter instruções para não tocar na propriedade de quem não fosse judeu, o que explicaria o fato de, naquele prédio, só terem saqueado o apartamento dos Adler, dos Epstein e dos Rosenberg. Volker não se deixou enganar pela roupa de civil da canalha. Sabia que eram grupos de jovens milicianos nazistas, os mesmos que haviam imposto a violência como estratégia política nos últimos anos e o terror como forma de governo desde a anexação.

Estava recobrando as forças quando ouviu passos no corredor, e um instante depois deparou com um energúmeno armado com um estandarte nazista, brandindo-o como lança e gritando "Adler!, Adler!" a plenos pulmões. O coronel levantou-se com alguma dificuldade e soltou a Luger do coldre.

— Quem é o senhor? O que está fazendo aqui? Este é o apartamento de Rudolf Adler! — repreendeu-o o desconhecido.

Volker não respondeu. Também não se moveu, quando o outro o ameaçou com a haste do estandarte a dois centímetros de seu nariz.

— Onde está? Onde está o Adler? — repetiu o homem.

— Pode-se saber quem está à procura dele? — perguntou Volker, afastando a haste com o dorso da mão, como se fosse uma mosca.

Só então Peter Steiner reparou na idade do coronel e na farda da Grande Guerra, e entendeu que não se tratava de um oficial nazista. Volker, por sua vez, viu que o outro soltava o estandarte e levava as mãos à cabeça, num gesto de desespero.

— Estou procurando o meu amigo, meu amigo Rudolf. O senhor o viu? — perguntou Steiner com a voz rouca de tanto gritar.

— Ele não estava aqui quando assaltaram o apartamento. Imagino que também não estava no consultório — respondeu Volker.

— E Rachel? Samuel? Sabe da família dele?

— Estão a salvo. Se encontrar o doutor Adler, avise-me. Eu moro no apartamento número vinte, do segundo andar. Sou o coronel reformado Theobald Volker.

— Peter Steiner. Se Adler vier, diga que estou à sua procura, que me espere aqui. Vou voltar. Não se esqueça do meu nome, Peter Steiner.

O violinista

Viena, novembro-dezembro de 1938

Rudolf Adler nunca mais voltaria a seu lar e não veria de novo Rachel e o filho Samuel. A noite entre os dias 9 e 10 de novembro de 1938, a Noite dos Cristais, não escureceu. As fogueiras e os incêndios iluminaram o céu até o amanhecer.

Peter Steiner conseguiu uma braçadeira com a cruz gamada e, armado do estandarte, que já estava rasgado e sujo de poeira e cinza, percorreu a vizinhança em todas as direções, fazendo um inventário mental dos destroços e das vítimas. Finalmente, por volta das três da madrugada, ficou sabendo que algumas ambulâncias haviam recolhido os feridos mais graves. Então se dirigiu ao hospital, onde se apresentou como dirigente de uma brigada paramilitar, para que permitissem sua entrada. As vítimas amontoavam-se nos corredores, enquanto o pessoal médico e as enfermeiras não davam conta de atender o maior número possível de pacientes, porque não haviam recebido ordem de rejeitar ou denunciar os judeus. Naquela confusão, um enfermeiro lhe explicou que ainda não havia registro oficial dos recém-hospitalizados, mas sugeriu que ele desse uma olhada nas salas de emergência e nos corredores, onde se alinhavam as macas.

Steiner percorreu uma sala após outra, esgotado. Já estava se afastando, quase se dando por vencido, quando ouviu a voz do amigo, chamando-o. Tinha passado pela frente de sua maca sem o reconhecer. Rudolf Adler estava deitado de costas, com a cabeça envolta numa bandagem ensanguentada e o rosto tão intumescido que os traços se perdiam em inchaços, cortes e hematomas. Mal conseguia falar, estava com vários dentes quebrados. Steiner precisou aproximar o ouvido da boca do ferido para decifrar o que ele murmurava.

— Rachel...

— Shhh, Rudy, não fale. Sua família está bem. Descanse, você está no hospital, aqui está a salvo — respondeu Steiner, lacrimejando de cansaço e emoção.

Nas horas seguintes permaneceu junto ao amigo, cabeceando, prostrado no chão, aos pés da maca, ouvindo-o gemer e delirar. Duas vezes uma enfermeira parou lá, para verificar se o paciente continuava respirando, mas não tentou descobrir sua identidade nem o que fazia aquele outro homem sentado ali. Bastou-lhe a braçadeira com a cruz gamada, e não fez perguntas. Com o nascer do sol, Peter Steiner levantou-se a duras penas; doíam-lhe todos os músculos, e ele tinha uma sede de dromedário.

— Vou avisar Rachel de que o encontrei. Vou voltar e ficar com você até que lhe deem alta — disse o amigo, mas não obteve nenhuma reação.

Em casa, era esperado pela mulher acordada, que também não tinha se deitado naquela noite e estava grudada ao rádio, onde anunciavam que os distúrbios tinham sido produzidos pelos judeus. Entre goles de café forte com *brandy*, Peter contou a verdade. Depois de se lavar e vestir uma camisa limpa, foi ao prédio dos Adler. Ao chegar, viu vários dos temíveis camisas pardas vigiando umas mulheres que, ajoelhadas, lavavam manchas de tinta e sangue do chão, enquanto um grupo de curiosos as observava caçoando. Reconheceu a senhora Rosenberg, que era cliente assídua de sua farmácia. Por um instante, sentiu o impulso de intervir, mas prevaleceu a urgência de falar com Rachel, e ele se esgueirou, procurando não chamar atenção.

Os vidros da entrada do prédio tinham sido despedaçados, e nas paredes se viam suásticas pretas, pintadas com brocha, mas já havia gente varrendo, e um homem tirava medidas para substituir os vidros. Ao subir, Steiner constatou que o apartamento do primeiro andar, em frente ao dos Adler, estava com a porta lascada e pendente de uma dobradiça; espiando, viu que também tinha sido saqueado. No número 20 do segundo andar, foi recebido por Theobald Volker, recém-barbeado e com o cabelo molhado, vestindo sua farda, com suas medalhas.

— Preciso falar com a senhora Adler — disse Steiner.

— Infelizmente, não será possível — respondeu o coronel, pouco disposto a dar informação a qualquer pessoa, muito menos a um homem que na noite anterior brandia um estandarte nazista.

— Sabe onde ela está? — insistiu Steiner.

— Não posso dizer.

— Veja bem, meu senhor... digo, coronel, pode confiar em mim. Conheço Rudolf Adler há uns vinte anos, sou o melhor amigo de sua família, Samuel é como meu filho. Preciso falar com Rachel. O marido dela está muito ferido no hospital.

— Vou dar o recado, mas não sei o que ela pode fazer nestas circunstâncias — respondeu o militar.

— Diga que se prepare para emigrar o mais depressa possível. Assim que conseguirmos tirar Rudolf do hospital, eles precisam ir para o exterior. Milhares de judeus já estavam indo antes, Rudolf também planejava partir. Depois do ocorrido esta noite, nenhum deles está seguro aqui. Precisam ir embora, o futuro de Samuel depende disso. Entende?

— Entendo.

— Precisa convencê-la, coronel. Rachel está muito apegada ao pai e à sua casa, mas chegamos ao ponto em que se trata de uma questão de vida ou morte. Não estou exagerando, garanto.

— Não precisa me dizer isso, senhor Steiner.

— Diga também que não vão perder o apartamento nem o consultório. Ela não sabe, mas estão em meu nome e não vão poder ser requisitados.

Steiner voltou ao hospital. À luz do dia, a destruição era visível em toda a sua magnitude. As ruas estavam cobertas de lixo, vidros e destroços, ainda ardiam as brasas das fogueiras e dos incêndios, havia perfurações enormes nas fachadas de comércios e casas que tinham sido atacadas a marteladas. Agentes do Serviço de Segurança estavam revistando casa por casa e levando para seus veículos documentos e arquivos confiscados de escritórios e sinagogas antes de incendiá-las. Havia ordem de deportar os homens judeus. Longas filas de prisioneiros avançavam em direção aos caminhões que os conduziriam para um campo de concentração, enquanto as famílias, chorando, despediam-se deles nas calçadas. A maioria das pessoas ficou em casa, mas não faltava quem cuspisse nos detidos em fila e os insultasse, por ódio racial ou para se congraçar com os nazistas.

Ao chegar ao hospital, Steiner constatou que a situação estava mudada. A desordem da noite tinha sido substituída por disciplina militar, ninguém entrava nem saía sem passar pelos controles. As autoridades estavam fazendo uma relação dos pacientes e selecionando os judeus que podiam manter-se em pé para deportá-los com os outros. Ele não pôde verificar se Rudolf Adler estava entre eles, mas imaginou que seus ferimentos não permitiriam a transferência.

Nos dias seguintes, recuperou-se aos poucos certa normalidade. Entre os habitantes de Viena, aquela orgia de fogo e sangue deixara uma sensação de vergonha. A comunidade judaica foi obrigada a pagar uma fortuna por "danos à nação alemã", e, tal como Rudolf Adler temia, as propriedades e outros bens de judeus foram confiscados pelas autoridades ou passaram para as mãos de arianos. Comércios, escritórios e escolas de judeus foram fechados; as crianças não podiam frequentar as outras. Quando se soube que os detidos nos campos de concentração podiam ser libertados se emigrassem de imediato, formaram-se eternas filas, noite e dia, em repartições públicas e consulados para a obtenção de passaportes e vistos. Milhares de famílias partiam depois de terem perdido tudo, sem nada além do conteúdo de uma mala.

Rachel Adler foi avisada de que não devia ir ao hospital perguntar pelo marido, porque podia ser detida. Precisou delegar essa tarefa a Peter Steiner e esposa, que se revezavam, indo duas vezes por dia preencher sempre o mesmo formulário para ver o paciente, sem conseguirem. Rachel não tentou limpar a desordem de naufrágio de seu apartamento; tirou o indispensável, trancou-o e instalou-se provisoriamente com o filho no apartamento de Volker, porque queria estar ao alcance quando o marido aparecesse. Os Steiner lhe haviam oferecido alojamento, mas tinham seis filhos e uma avó apinhados numa casa pequena. Ela conseguira convencer Leah a partir para um refúgio no campo, organizado pela sinagoga, até que pudessem sair todos juntos do país. Ali ela estaria mais ou menos a salvo por breve tempo, mas na realidade nenhum judeu estava a salvo.

Enquanto Rachel passava o dia de repartição em repartição, de fila em fila, tentando obter documentos para emigrar, Volker cuidava de Samuel. O velho coronel, que passara muitos anos isolado no luto e na desilusão, encontrou naquele menino precoce de cinco anos o neto que poderia ter, se seu filho tivesse sobrevivido à guerra. Levou tão a sério o papel de avô, que não deixava o menino sozinho nem um momento, e para isso precisou modificar seus hábitos de viúvo. No afã de entretê-lo para compensar o trauma dos últimos tempos e a incerteza sobre seu pai, levava-o ao parque, a museus, para ouvir música, até ao cinema, para ver *A quermesse heroica*, comédia romântica que nenhum dos dois entendeu. Samuel, por sua vez, esmerava-se em retribuir as atenções com concertos de violino, que o coronel ouvia maravilhado. Volker sabia que aqueles dias preciosos com o menino estavam contados.

Poucos dias depois da jornada de violência, quando já não restava dúvida de que o garrote de ferro que estrangulava os judeus ia se apertando fatalmente, Rachel chegou com a notícia de que teria uma entrevista com o cônsul do Chile no dia seguinte.

— Chile? Isso é muito longe, senhora Adler! — exclamou Volker.

— O que vamos fazer, *Herr Oberst*, foi a única coisa que consegui. Disseram que aquele funcionário vende os vistos, mas não aceita dinheiro, só ouro e joias. Por sorte tenho o anel de diamantes e o colar de pérolas que herdei de minha mãe. Espero que sejam suficientes...

— Esse homem não tem escrúpulos, minha senhora. Pode enganá-la.

— Por isso preciso do senhor. Pode ir comigo? Ponha sua farda, com o senhor ele não vai se atrever a fazer jogo sujo. Consigo os vistos e, assim que Rudolf voltar, vamos embora.

Foi o que combinaram, mas naquela mesma noite Peter Steiner chegou com a má notícia de que Rudolf Adler tinha sido deportado para um campo de concentração em Dachau.

— Foi levado há vários dias, mas só hoje conseguimos confirmar. Não está em condições de sobreviver naquele lugar — disse o farmacêutico.

— Precisamos resgatá-lo logo! — exclamou Rachel, aterrorizada.

— Se conseguirem provar que vão emigrar imediatamente, será mais fácil, Rachel. Os nazistas não querem judeus aqui.

— Espero conseguir vistos para o Chile.

— Para onde? — perguntou Steiner, surpreso.

— Chile, América do Sul.

— Isso pode demorar — interveio Volker.

— Talvez seria melhor você ir com Samuel, e mais tarde mandamos Rudolf... — sugeriu Steiner.

— Não! Não vou a lugar nenhum sem meu marido.

À medida que os dias se passavam e a possibilidade de resgatar seu marido era postergada, o desespero de Rachel aumentava. A situação dos judeus na Áustria piorava a cada hora, e ela não queria imaginar como seriam as condições em que Rudolf vivia. Fora à primeira entrevista com o cônsul chileno em tal estado de nervos que coube a Volker responder às perguntas.

O consulado era um escritório sombrio, entre muitos outros idênticos, num dos poucos edifícios feios do centro da cidade. Havia várias pessoas em pé, esperando a vez, na recepção, que só contava com duas cadeiras e a escrivaninha do secretário, homenzinho esquivo que se dava ares de importância. Teriam precisado esperar várias horas para serem atendidos, se Volker não tivesse passado discretamente algumas notas ao sujeito. Foi assim que furaram a fila.

Desde o começo o cônsul desconfiou deles e se pôs em guarda. Quando ela se atreveu a sugerir o pagamento de vistos para ela, o marido, o filho e a cunhada, ele respondeu secamente que tomaria nota de sua solicitação, seguiria o curso normal do trâmite, que demorava entre um e dois meses, e avisaria no momento devido. Ela percebeu que tinha sido um erro ir com Volker. Aquele militar imponente intimidou o chileno, que devia ser muito discreto em seus tratos ilegais. "Iremos a outros consulados", disse Volker ao sair, mas Rachel notara a maneira como o homem a examinava da cabeça aos pés e decidiu tentar de novo.

Dias depois, sem dizer a ninguém, conseguiu ser novamente recebida pelo cônsul. Pôs um vestido de lãzinha cortado de viés, que marcava a forma do corpo, saltos altos, uma estola de pele de raposa, o colar de pérolas e o anel de diamante com que pensava suborná-lo. Foi sozinha.

O diplomata era um sujeito janota, com um bigodinho faceiro e o cabelo empastado de brilhantina, que usava sapatos com plataforma para compensar a baixa estatura. Recebeu-a na mesma sala da entrevista anterior, de teto alto, móveis escuros de couro desgastado, um retrato do presidente de seu país e quadros de batalhas. As cortinas estavam fechadas, embora fosse meio-dia; a única luz provinha de um abajur sobre a pesada escrivaninha. Ao cumprimentá-la, ficou segurando sua mão durante vários segundos, que pareceram intermináveis. Falava um alemão tão básico, que Rachel acreditou ter entendido mal quando ele disse que, na realidade, as joias eram apenas uma gorjeta para os gastos do consulado, mas que uma mulher tão bonita como ela podia conseguir o que quisesse. Ele era um romântico, acrescentou, guiando-a pela cintura a um volumoso sofá cor de chocolate. Rachel Adler se dispôs a pagar o preço que aquele homem exigisse.

A humilhante experiência durou menos de dez minutos, e Rachel se propôs esquecê-la de imediato. Era um episódio insignificante na trágica realidade que estava vivendo fazia muitos meses. Depois, o cônsul arrumou a roupa, passou um pente pelo cabelo, guardou o anel e as pérolas numa gaveta da escrivaninha e marcou encontro num hotel para a semana seguinte, quando lhe entregaria os vistos sem falta. Rachel não estava em posição de regatear. A única coisa que importava era salvar sua família.

No início de dezembro de 1938, Rachel Adler fora a três encontros com o cônsul chileno e continuava esperando que ele lhe entregasse os vistos para seu país. Temia que aquele homem não cumprisse sua parte no trato até se saciar dela. Não queria pensar na possibilidade de que, depois de a violar e lhe tirar as joias, ele não lhe desse a documentação que havia prometido. Só conseguia viver com as gotas e as pílulas que Peter Steiner lhe dava; andava com um nó no estômago, respirando como se estivesse asfixiada, incapaz de disfarçar o tremor das mãos. Não confessara a ninguém o que acontecia no quarto de hotel, onde se encontrava com o chileno, mas o coronel Volker começava a desconfiar.

— Teve notícias de seu marido, senhora Adler? — perguntou.

— Peter ficou sabendo que ele está muito fraco, não se recuperou dos ferimentos, mas até agora resistiu às condições em que se encontra. Garantiu que Rudolf recebe as minhas cartas, embora não possa responder.

— Escute, minha senhora, essa história do Chile está demorando demais, não confio naquele sujeito. Ele pode ludibriá-la. Acho que é melhor pôr Samuel a salvo.

— Estou fazendo o possível, *Herr Oberst*.

— Sem dúvida, mas não se pode continuar esperando. Como sabe, a Grã-Bretanha se ofereceu para receber dez mil crianças judias menores de dezessete anos. Muitas famílias inglesas se inscreveram para apoiar as crianças. O Samuel poderia passar um tempo naquele país, até que a senhora e seu marido se estabeleçam no Chile ou em outro lugar e possam se reunir.

— Ficar separada do Samuel? Como lhe ocorre essa ideia!

O que o velho militar menos desejava era perder aquele menino, que se plantara em sua afeição com raízes firmes, mas conseguia dimensionar o perigo melhor que Rachel Adler e sabia que aquela oportunidade de escapar seria muito breve; era preciso aproveitá-la antes que os nazistas a proibissem. Tinha certeza de que a retórica nacionalista de Hitler conduziria a outra guerra, e então seria muito mais difícil, se não impossível, pôr Samuel a salvo.

— Acaba de sair de Berlim o primeiro grupo de cerca de duzentas crianças — disse Volker. — É uma viagem curta, eles vão acompanhados e estão sendo esperados na Inglaterra. Uma holandesa extraordinária, a senhora Geertruida Wijsmuller-Meijer, conseguiu permissão para tirar seiscentas crianças da Áustria. Sei que, para o transporte, estão dando prioridade aos órfãos, aos filhos das famílias mais pobres e aos que têm os pais em campos de concentração. Samuel entra nessa categoria. Peço-lhe, senhora Adler, que pense na segurança do menino.

— Está pedindo que eu mande meu filho sozinho para outro país!

— É uma solução temporária. É a única forma de proteger Samuel. A senhora precisa decidir depressa, o transporte será feito dentro de poucos dias.

Peter Steiner concordou com Volker. Em meio à censura e à propaganda, era difícil saber a verdade do que ocorria no país, mas se podia deduzi-la da situação da Alemanha, que era semelhante à da Áustria, e ele estava bem informado por certos fregueses da farmácia e pelos parceiros de pôquer.

Rachel, desesperada, consultou o pai e o irmão, com a esperança de que eles lhe apresentassem uma alternativa, mas ambos insistiram que ela devia conseguir uma vaga para o menino no grupo da holandesa. A Inglaterra ficava perto, disseram, ela poderia visitá-lo. Eles mesmos estavam tentando ir temporariamente para Portugal e, de lá, para qualquer lugar onde fossem aceitos; o êxodo de judeus da Alemanha e da Áustria estava aumentando, e era cada vez mais difícil conseguir vistos.

— A família está se desintegrando — disse Rachel, soluçando.

— No momento o mais urgente é pôr Samuel em lugar seguro — advertiu-lhe o pai.

— Nesta incerteza terrível que estamos vivendo, precisamos dar um jeito de ficar unidos. Se nos separarmos, talvez nunca mais nos vejamos de novo — insistiu ela.

— Depois que você garantir a viagem com Rudolf para o Chile ou qualquer outro país, vamos esperar que vocês se instalem e depois daremos um jeito de nos reunirmos lá.

— Não posso me separar de Samuel!

— É pelo bem dele. Você tem de fazer esse sacrifício, Rachel. Outras famílias da congregação também estão pensando no *Kindertransport* — disse o pai.

Apesar de Rachel ter o cuidado de esconder o terror e a angústia em que vivia, Samuel se deu conta do que ocorria e perguntava com frequência pelo pai. Esperou que a mãe estivesse ausente para perguntar ao coronel por que planejavam mandá-lo para longe. Volker sentou-se com ele diante de um mapa aberto sobre a mesa da sala de jantar e mostrou-lhe a localização da Inglaterra em relação a Viena e como se chegava lá. Garantiu-lhe que era necessário separar-se dos pais, mas seria por pouco tempo, disse-lhe que pensasse naquilo como uma aventura.

— Preciso esperar meu pai. Quando ele vai voltar? Onde ele está?

— Não sei, Samuel. Você já é um homenzinho. Precisa ajudar sua mãe, que tem muitos problemas, porque seu pai não está em casa. Mostre que está contente por fazer a viagem com outras crianças.

— Mas eu não estou contente, *Herr Oberst*. Estou com medo...

— Todos temos medo muitas vezes, Samuel. Os homens valentes também têm medo, mas o enfrentam e cumprem seu dever.

— O senhor já sentiu medo?

— Muitas vezes, Samuel.

— Prefiro ficar aqui com minha mãe e com o senhor até meu pai voltar.

— Eu também quero que você fique comigo, mas não vai ser possível. Um dia você vai entender.

Depois que Rachel Adler, com o coração partido, aceitou a ideia, os acontecimentos se precipitaram. Um representante da comunidade judaica chegou no dia seguinte ao apartamento de Volker para avaliar a situação. O fato de o pai de Samuel estar num campo de concentração e de as mulheres dos prisioneiros também estarem sendo ameaçadas de deportação determinou a inclusão do menino na lista. Ele explicou que o *Kindertransport* tinha sido organizado com muito cuidado pelos comitês judeus, que também estavam resgatando crianças da Polônia, da Hungria e da Tchecoslováquia. Outros países tinham se oferecido para recebê-los, mas nenhum dispunha de tantas vagas como a Grã-Bretanha. Samuel viajaria de trem até a Holanda, nas proximidades de Rotterdam, e lá embarcaria no *ferryboat* para atravessar o Canal até o porto inglês de Harwich.

Em 10 de dezembro, muito cedo, Rachel e o coronel levaram Samuel à estação ferroviária. Rachel movia-se como sonâmbula, aturdida por uma dose excessiva da droga de Steiner. No dia anterior sofrera uma crise de pânico tão alarmante, que Volker chamou Steiner. O farmacêutico trancou-se com ela no quarto e, usando de termos mais enérgicos, obrigou-a a acalmar-se, porque ela não podia contagiar o filho com seu estado de espírito. O menino estava fazendo um esforço louvável para se manter sereno, e ela precisava ajudá-lo, não tinha o direito de se abater diante dele, disse. Depois lhe injetou um poderoso sonífero, que a derrubou durante nove horas. Enquanto isso, o coronel preparou a maleta de Samuel com a roupa que havia comprado, bastante folgada, para que durasse o máximo possível. Colocou dez marcos no bolso do casaco novo e prendeu uma de suas condecorações de guerra na lapela.

— É uma medalha por bravura, Samuel. Eu a ganhei uns anos atrás, na guerra.

— Para mim?

— É um empréstimo, para você se lembrar de ser valente. Quando sentir medo, feche os olhos, esfregue a medalha entre as mãos e vai sentir uma força imensa no peito. Quero que você a use até a gente se reencontrar, então vai ter de me devolver. Cuide bem dela — disse o coronel com a voz entrecortada pela dor.

Naquele dia juntou-se grande multidão de pais com seus filhos na estação. Havia crianças de todas as idades, inclusive algumas que mal andavam e eram levadas pelas mãos de outras um pouco maiores. Muitas das mais novas choravam agarradas aos pais, mas em geral o ânimo era tranquilo, e a ordem, impecável. Dezenas de voluntárias – quase a totalidade de mulheres – atendiam cada caso, enquanto guardas com farda nazista observavam à distância, sem intervir.

Rachel e Volker levaram Samuel até o controle, onde uma jovem, que não era judia, mas inglesa, verificou que seu nome estava na lista e dependurou a identificação no pescoço do menino. Acariciou-lhe a face e disse amavelmente que não podia levar o violino, pois cada passageiro tinha direito apenas a uma mala, não havia espaço para mais.

— Samuel nunca se separa do violino, senhorita — explicou Volker.

— Eu entendo, quase todas as crianças querem levar alguma coisa extra, mas não podemos abrir exceção.

— Deixaram passar aquele ali — disse Volker, apontando para uma criança de uns três anos que ia agarrada a um ursinho de pelúcia.

A jovem, perturbada, tentou argumentar com o coronel, só estava obedecendo a instruções. O tempo urgia, havia uma fila de crianças esperando, e já se formara uma aglomeração. Várias pessoas estavam impacientes com a demora, e outras alegavam que não custava nada deixar o menino levar seu violino, enquanto ela insistia em cumprir o regulamento.

De repente, Samuel, que não dissera uma palavra desde que saíram de casa, pôs o bendito estojo no chão, tirou o instrumento, acomodou-o no ombro e começou a tocar. Em menos de um minuto tudo silenciou em torno daquele menino prodígio, que enchia o ar com as notas de uma serenata de Schubert. O tempo parou e, por uns breves minutos magníficos, aquela multidão angustiada pela iminente separação e pela incerteza de sua vida sentiu-se consolada. Samuel era pequeno para a idade que tinha, e o casaco, grande para ele, dava-lhe um aspecto de enternecedora fragilidade. Com os olhos fechados, movimentando-se ao ritmo da música, era um espetáculo mágico.

Ao terminar, recebeu os aplausos com sua seriedade habitual e guardou o violino cuidadosamente no estojo. Naquele instante as pessoas abriram alas para dar passagem a uma senhora corpulenta, inteiramente vestida de preto, que se aproximava, enquanto seu nome circulava num murmúrio: era a holandesa que organizara o transporte. Comovida, a mulher se inclinou diante de Samuel, apertou sua mão e desejou-lhe boa viagem. "Pode levar seu violino. Vou com você até seu assento", disse. Ajoelhada no chão, Rachel estreitou o filho nos braços, incapaz de reter as lágrimas e, murmurando instruções e promessas que não podia cumprir, disse: "Até logo meu amor, não se esqueça de tomar o leite e de escovar os dentes antes de dormir. Não coma muitos doces. Seja respeitoso com as pessoas que vão te receber, não se esqueça de dizer obrigado. A gente vai se ver logo, assim que teu pai voltar, vamos nos reunir com você, vamos levar a tia Leah e talvez o vovô, a Inglaterra é um país muito lindo, você vai viver muito bem. Te amo muito, muito...".

A imagem mais persistente do passado, que haveria de permanecer intacta na memória de Samuel Adler até a velhice, foi aquele último abraço desesperado e sua mãe, banhada em lágrimas, amparada pelo braço firme do velho coronel Volker, agitando um lenço na estação, enquanto o trem se afastava. Naquele dia acabou sua infância.

Samuel

Londres, 1938-1958

A viagem da Áustria à Inglaterra levou três dias, que para o pequeno Samuel pareceram eternos. No começo, as crianças iam cantando, entretidas por voluntárias, mas, à medida que as horas passavam, foram sendo vencidas pelo cansaço e pelo temor. Os menores choravam chamando os pais. No segundo dia, a maioria dormia amontoada nos duros assentos de madeira ou no chão, mas Samuel continuou sentado, imóvel, agarrado ao violino, repetindo em silêncio o trac-tra-trac das rodas de ferro nos trilhos. O trem parava com frequência, e subiam soldados para fiscalizar, com atitude ameaçadora, mas deparavam com a fria autoridade da senhora Wijsmuller-Meijer. Por fim, numa tarde de chuva, chegaram ao sombrio e gelado porto holandês, onde todos desceram do trem em fila e entraram, cabisbaixos e exaustos, num *ferryboat*. A água, cor de petróleo, estava agitada, e muitas crianças que nunca tinham visto o mar choravam assustadas. Samuel ficou mareado e vomitou com meio corpo para fora da amurada, salpicando-se de água salgada.

Na Inglaterra, eram esperados pelas famílias que se haviam oferecido para abrigar os pequenos refugiados, cada um identificado por um crachá no peito. Samuel foi recebido por duas mulheres, mãe e filha, que haviam solicitado uma menina de idade suficiente para ajudar nas tarefas domésticas e passaram bom tempo discutindo com os organizadores, enquanto ele esperava de pé contra a parede, com sua malinha, seu violino e o casaco manchado de vômito. Ficou pouco tempo com elas. As duas trabalhavam numa fábrica de fardas militares e, embora houvesse uma diferença de vinte e tantos anos entre elas, pareciam gêmeas pela maneira afetada de falar, pelo permanente no cabelo, pelos sapatos masculinos e pelo mau hálito. Moravam numa casa alta e estreita, abarrotada de bibelôs de louça, relógios de cuco, flores artificiais, toalhas de crochê e outros objetos de gosto e utilidade duvidosa, tudo meticulosamente arrumado numa ordem inalterável. Samuel não podia tocar em nada daquilo. Elas eram muito rigorosas e estavam sempre de mau humor, tinham um sem-número de normas para a convivência, desde contar os torrões de açúcar, até determinar onde cada um devia se sentar e a que hora. Não entendiam nem uma palavra de alemão, e o menino não falava inglês, o que contribuía para irritá-las. Além disso, Samuel passava horas em silêncio, encolhido nos cantos, e urinava na cama. Quando seu cabelo começou a cair em mechas, rasparam sua cabeça.

Logo ficou evidente que aquele não era o lar adequado para Samuel Adler, e ele foi entregue a outra família e depois a outra e mais outra; não se demorava com nenhuma por ser enfermiço e deprimido. Ao cabo de um ano, colocaram-no num orfanato no subúrbio de Londres, numa bela zona rural de prados e floresta. Naquela paisagem bucólica, o horrendo edifício de pedra, que tinha sido um hospital na Primeira Guerra Mundial, parecia ofensivo. O orfanato, para meninos maiores que Samuel, era dirigido com o rigor de um estabelecimento militar. Os garotos dispunham de um beliche de tábuas com um colchãozinho fino; alimentavam-se de arroz e legumes, como quase todo mundo naqueles tempos de guerra; estudavam em salas geladas no inverno e sufocantes no verão; praticavam muito esporte, porque a ideia era formar jovens fortes de corpo e mente. As brigas infantis eram resolvidas com luvas de boxe num ringue, as transgressões eram castigadas com varadas no traseiro, a covardia era o pior defeito. No início, eximiam Samuel de algumas atividades e castigos por ele ser asmático e muito menor que os outros internos, mas esses privilégios logo terminaram.

Durante todo aquele tempo, o menino não largou o violino, mas, como não permitiam que ele tocasse, compunha melodias em segredo e as tocava na cabeça, no silêncio da noite. Além disso, nunca abandonou a medalha de guerra que o coronel Volker lhe pusera no casaco quando o levaram ao trem. Para não a perder, prendeu-a no interior do estojo do instrumento. Percebeu que era mágica, tal como lhe dissera o coronel: bastava esfregá-la para vencer o medo. Cuidava dela zelosamente, consciente de que se tratava de um empréstimo e que devia devolvê-la.

Na Inglaterra, a palavra de ordem era manter-se otimista, a vitória era certa, diziam, embora o esforço de guerra tivesse um custo abissal em sangue e recursos. Os bombardeios dos alemães, que deixaram um saldo de mais de quarenta mil civis mortos e bairros inteiros reduzidos a cinzas, haviam cessado sem alcançar o objetivo final: aterrorizar a população para obrigá-la a render-se. Minutos depois de os aviões inimigos se afastarem e as sirenes soarem anunciando o fim do bombardeio, as pessoas saíam dos refúgios arrumando a roupa, fingindo uma tranquilidade que ninguém sentia, e começava a labuta de apagar os incêndios e procurar sobreviventes entre os escombros. Tudo era racionado, a comida era escassa, não havia combustível para o transporte nem para a calefação no inverno, os hospitais estavam sempre cheios, e nas ruas se viam soldados amputados e crianças famintas. As pessoas tentavam viver com dignidade e sem escarcéus. A fleuma britânica, tão celebrada, servia para suportar o perigo e os inúmeros inconvenientes com certa ironia, como se estivessem acontecendo em outra dimensão. "Mantenha a calma e siga em frente" era o lema impresso em todos os lugares.

Em 1942 Samuel teve pneumonia. Na cama de ferro do hospital, entre uma dúzia de pacientes alinhados na sala, lutava para respirar, oscilando entre o ardor da febre e acessos de frio, que o deixavam tremendo. Em algum momento pressentiu que ia morrer e decidiu avisar os pais. Escrevera-lhes várias vezes sem obter resposta; só tinha recebido duas missivas breves da mãe, que chegaram no primeiro ano de seu exílio. Nos instantes de lucidez, redigiu com muita dificuldade uma carta para os pais, numa folha de caderno. Ninguém podia ajudá-lo, porque a carta era em alemão.

> Queridos papai e mamãe:
>
> Estou doente. Aviso para o caso de irem me buscar no colégio e não me encontrarem. O hospital é muito grande e todos aqui o conhecem. Às vezes fico flutuando e me vejo de cima, deitado na cama. Não se sabe se vou morrer, mas, se isso acontecer, quero deixar-lhes meu violino de lembrança. Também quero pedir que devolvam a medalha ao senhor que mora no segundo andar. A medalha está dentro do estojo do violino. Por favor, perdoem os erros, quase não me lembro de escrever em alemão.
> Seu filho Samuel.

Endereçou o envelope para "Herr Rudolf Adler und Frau Rachel Adler, Viena, Áustria" e pediu a uma enfermeira que o pusesse no correio. Sabendo que a carta nunca chegaria aos destinatários, a boa mulher a entregou a Luke Evans, porque ele e a esposa eram as únicas pessoas que visitavam o menino.

Luke e Lidia Evans eram um casal de *quakers* que havia anos se dedicavam a salvar crianças em zonas de conflito bélico. Haviam trabalhado nisso durante a Guerra Civil Espanhola e depois na Europa, colaborando com organizações judaicas. Samuel os achava muito velhos, mas eles não tinham mais de quarenta e poucos anos. O intenso amor que os unia tornara-os cada vez mais parecidos; eram como uma dupla de gêmeos de baixa estatura, magros, com os cabelos cor de palha e óculos redondos.

Lidia sofria de mal de Parkinson, o que, com o tempo, a condenaria à quase imobilidade, mas, quando Samuel a conheceu, ainda não se notava a doença. A enfermidade obrigara os esposos a abandonar o trabalho no *front* da guerra e voltar à Inglaterra, onde ajudavam crianças como Samuel. Os Evans não tinham filhos e apegaram-se àquele menino de grande inteligência e dolorosa sensibilidade. Do hospital, onde ele passou várias semanas, levaram-no para casa. Samuel não voltou ao orfanato; encontrara o lar de que tanto precisava.

Os Evans passaram a ser sua família. Matricularam-no como interno num colégio *quaker*, mas ele passava os fins de semana e as férias com eles. Conscientes de sua origem, procuraram dar-lhe formação religiosa e, durante algum tempo, mandaram-no a uma sinagoga para assistir a aulas, mas o esforço durou apenas alguns meses. Samuel não se sentia parte daquela comunidade, e a religião não lhe interessava, apesar dos esforços do rabino. Também não foi atraído pelo cristianismo, mas o colégio era liberal nesse aspecto e não exigiu sua conversão. Ele comungava os valores dos *quakers*: simplicidade, paz, verdade, tolerância, o poder do silêncio. Tudo isso combinava perfeitamente com seu caráter.

Os Evans e o colégio deram-lhe estabilidade; os acessos de asma e os pesadelos se espaçaram, e a calvície, que o atormentou durante anos, curou-se sozinha. Desapareceram as peladuras e brotou-lhe uma grenha de cabelo crespo que a partir de então foi sua característica mais notável. Ele gostava de estudar e jogava rúgbi, o que o ajudou a integrar-se, embora não fizesse amigos. Aquele seria o único esporte de equipe que praticaria na vida, por ser obrigatório e por lhe permitir descarregar as frustrações dando empurrões, passando rasteiras e rolando na poeira do chão. Na adolescência, distinguiu-se porque, finalmente, pôde voltar a tocar violino e participou da orquestra do colégio. Passara muito tempo sem praticar e, embora seu amor pela música continuasse intacto, ele já não era o prodígio que havia sido antes.

Samuel tinha doze anos quando a guerra acabou em maio de 1945. Sempre se lembraria dos sinos tocando a celebração, do júbilo nas ruas, nas casas, no colégio, em todos os lugares, dos abraços, dos gritos, das risadas. Quando os ânimos se acalmaram, a Europa pôde fazer a conta do custo daquela vitória sangrenta: as cidades destruídas, a terra arrasada, os campos de concentração, onde os nazistas exterminaram doze milhões de pessoas, das quais metade judias, os massacres, as vítimas incontáveis, as massas de refugiados em busca de um lugar onde se sentar para descansar. Samuel achava que entre eles talvez estivessem seus pais, que eles talvez o estivessem procurando, talvez chegassem logo ao colégio, perguntando por ele e, ao vê-lo, não o reconhecessem, mas ele os reconheceria, porque tinha sua fotografia grudada no interior do estojo do violino, ao lado da medalha do coronel Volker. O violino da infância havia sido substituído, mas aquelas relíquias continuavam a acompanhá-lo a todos os lugares. Achava que os pais não deviam ter mudado muito naqueles seis anos de separação. Na fotografia, seu pai tinha óculos, bigode e expressão séria, em contraste com o sorriso aberto da mãe, bela mulher de olhos negros e cabelos ondulados. Ele vestia um terno escuro com colete, um pouco antiquado, e gravata borboleta; ela usava blusa branca, casaquinho escuro com um broche na lapela e um chapéu faceiro.

No entanto, ainda se passariam vários anos até que ele tivesse notícias da família. Em 1942 os dirigentes nazistas tinham decidido recorrer à "solução final", que é como chamaram o extermínio dos judeus, mas os detalhes do Holocausto só ficaram conhecidos muito depois. Os Evans se uniram a uma das organizações dedicadas a ajudar os milhões de desalojados da guerra, mas seus esforços para localizar os Adler foram inúteis. Tentaram evitar que Samuel visse os documentários sobre os campos de concentração, mas num sábado o menino escapuliu para o cinema onde, antes do filme, foi exibido um noticiário com cenas de horror: pilhas de cadáveres, ossos, sobreviventes esqueléticos. Espantado, negou-se a acreditar que os pais pudessem estar entre eles.

Ao terminar o colégio, cabia-lhe fazer o serviço militar obrigatório, mas ele foi dispensado por causa da asma e de uma lesão nas costas causada pelo rúgbi. Isso lhe permitiu matricular-se, graças a uma bolsa, na Royal Academy of Music, o conservatório mais antigo da Inglaterra, fundado em 1822, onde era difícil ser admitido.

Por uma dessas misteriosas coincidências, o luminoso primeiro dia de aula, quando Samuel se iniciava no estudo sistemático da música, também foi um dos dias mais sombrios de sua existência.

Voltou a pé para a casa dos Evans, para desanuviar a mente, porque estava tão eufórico que parecia bêbado. Chegou por volta das sete da noite e, assim que cruzou o limiar da porta, sentiu uma dura premonição, como se tivesse recebido um soco no estômago. Lidia se pôs na sua frente para preveni-lo. "Espere, Sam...", conseguiu dizer, segurando-o pelo colete, mas o rapaz não lhe deu tempo de continuar. Na sala estava uma mulher jovem, robusta e tão loira que parecia albina.

— Samuel...? Sou Heidi Steiner. Lembra-se de mim? — perguntou em alemão. — Não, como vai se lembrar, você era muito pequeno quando nos vimos pela última vez. Sou filha de Peter Steiner.

Aquele nome também lhe era desconhecido. Não falava alemão havia anos, mas conseguiu entendê-la. Ficou esperando que ela continuasse enquanto a opressão que sentia na boca do estômago se acentuava. Pelo idioma, adivinhou que se tratava de seus pais.

— Pude encontrá-lo porque sabia que você tinha sido trazido para a Inglaterra no *Kindertransport*, e os organizadores mantiveram registros de cada criança. Na sua ficha estão as casas e o orfanato onde você esteve antes que os Evans o acolhessem, além do colégio *quaker*.

Acrescentou que não pôde procurá-lo antes, porque se passaram anos até que os vencidos conseguissem refazer a vida. A Alemanha estava em ruínas, humilhada, empobrecida, e a Áustria comungava a mesma sorte.

— No começo procurávamos restos de comida no lixo — disse. — Era tanta a fome, que não sobraram cachorros nem gatos vivos, até ratos nós comíamos.

Peter Steiner, pai de Heidi, desconfiava que sua liberdade estava em risco no regime nazista; tinha amigos bem posicionados que o avisaram de que ele estava na mira da Gestapo, acusado de simpatizar com o comunismo. Ele escondeu dinheiro para proteger a família em caso de algo lhe acontecer, sem imaginar que a derrota transformaria aquelas notas em papel inútil. Entre suas economias guardou o documento de compra e venda da clínica e do apartamento de Rudolf Adler, além de uma carta explicando que havia sido uma venda fictícia e que Adler era o proprietário legítimo.

— Lamento, Samuel. O prédio foi destruído durante um bombardeio — disse Heidi.

Ele percebeu que a mulher tentava ganhar tempo com aqueles rodeios. Que importância teria para ele uma propriedade em Viena? Ela não devia ter vindo de longe por isso.

Heidi contou que dois irmãos dela, recrutados quando eram adolescentes, não voltaram do campo de batalha. Uma das irmãs morreu de tifo e a outra desapareceu quando os russos ocuparam a Áustria. Dos seis irmãos Steiner, só sobreviveram ela e o menor, além da mãe, mas esta estava num asilo.

— Meu pai foi detido em 1943, acusado de comunista, confiscaram a farmácia e a nossa casa. Morreu em Auschwitz — disse.

— Lamento muito a tragédia de sua família. É terrível... Diga, sabe o que aconteceu com meus pais?

— É muito triste o que eu tenho para dizer, Samuel, mas foi para isso que vim. Você não pode viver na dúvida, isso é pior que o luto... O seu pai foi detido quando estava num hospital, ferido, dois ou três dias depois da infame Noite dos Cristais ... — E Heidi vacilou, sem saber como continuar.

— Por favor, preciso saber, o que aconteceu com ele?

— A última coisa que soubemos, por informação de outros prisioneiros, é que ele morreu logo depois de chegar a Dachau por causa de uma contusão cerebral.

— Quer dizer, quando minha mãe me mandou para a Inglaterra, não sabia que já era viúva — disse Samuel, com um soluço engasgado no peito.

— É isso mesmo.

— E minha mãe? O que aconteceu com ela?

— Ela não teve melhor sorte. Esperando seu pai, perdeu a oportunidade de emigrar. Seu vizinho, um militar reformado, chamado Theobald Volker, e minha família a mantiveram escondida. Primeiro viveu na casa do militar, que a protegeu enquanto pôde, e, quando ele ficou gravemente doente, meu pai fez um esconderijo para ela nos fundos da farmácia. Na realidade, era um porão, onde ela precisou viver um bom tempo. Quando os SS prenderam meu pai e revistaram a farmácia, ela foi descoberta, porque não houve tempo de avisá-la.

— E o que aconteceu com ela?

— Perdão por lhe trazer notícias tão ruins, Samuel... Foi levada para Ravensbrück.

— O campo de concentração de mulheres?

— Sim. Lá morreram mais de trinta mil prisioneiras, Samuel. Sua mãe e sua tia Leah entre elas.

— Divirta-se, Samuel, trate de aproveitar a vida; você precisa viver a vida que seus pais não conseguiram viver — disse-lhe Lidia Evans em certa ocasião, mas ele sempre tinha sido sério demais, e o destino trágico de seus pais tornou-o taciturno. Não sabia se divertir, como Lidia pretendia. Seu primeiro emprego foi na Orquesta Filarmônica de Londres, de grande prestígio, quando tinha apenas cerca de vinte anos de idade, muito pouco para uma instituição daquele porte. Sabia que, à primeira vista, a orquestra é um exemplo máximo de trabalho em equipe, mas na realidade cada músico é uma ilha. Isso era muito conveniente para seu caráter solitário.

A orquestra era seu refúgio, e a música, a única coisa que de fato lhe dava prazer. Nada podia se comparar à experiência de submergir nela como num oceano, navegando sem esforço nas ondas e correntes, somando-se com seu violino ao coro formidável dos outros instrumentos, cada um com sua voz distintiva. Naqueles instantes, apagava-se o passado, e ele se sentia desintegrar; seu corpo desaparecia, e seu espírito, livre e exultante, elevava-se com cada nota. Ao terminar, sempre se surpreendia com o estrépito súbito do aplauso, que o devolvia de um puxão ao teatro. Depois, enquanto outros integrantes da orquestra passavam por um bar, para refazer o corpo com uma bebida, ele ia a pé para o apartamento que alugara num bairro de imigrantes do Caribe. Cobria o estojo do violino com plástico, para protegê-lo da neblina e da chuva, e ia cantarolando as peças que tinha acabado de tocar. Aquela hora e meia a passos largos, na rua escura, era o que mais se parecia com diversão para Samuel.

Nos dias em que não havia concerto, ele fazia excursões ou ia remar no Tâmisa. Em mais de uma ocasião perdeu-se nas montanhas ou foi surpreendido por uma neblina tão densa no rio, que demorou várias horas para voltar ao ponto de partida. O exercício solitário ao ar livre era como a música para ele: dava-lhe paz. Eram frequentes suas visitas aos Evans. Ele não tinha amigos de sua idade e caçoava do empenho de Lidia em lhe arranjar namorada. Luke também brincava: "Deixe-o em paz, Lidia, ele ainda é muito novo para se casar", dizia, mas Samuel desconfiava de que nunca encontraria uma mulher que gostasse dele.

Tudo mudou para ele aos vinte e cinco anos, quando decidiu passar férias nos Estados Unidos com o plano de estudar a cultura do jazz, que ele considerava o que de mais original ocorrera no campo da música ocidental desde o século XIX. Sentia fascinação pela liberdade e pela energia do jazz, pela audácia com que ele incorporava diferentes estilos e se reinventava a cada execução, pela criatividade desbragada dos músicos, que tocavam num estado alterado de consciência, em êxtase, pelo gênio de artistas como Miles Davis, Louis Armstrong, Ella Fitzgerald, Billie Holiday, Ray Charles e tantos outros, cujos discos ele ouvia repetidas vezes, obsessivamente. Precisava ouvir o jazz vivo, perder-se no ritmo sincopado, na melancolia dos blues, na força irresistível dos instrumentos em conversa entre si, chamando-o. E, para isso, precisava ir ao lugar de origem, a Nova Orleans.

Leticia

El Mozote, Berkeley, 1981-2000

Leticia Cordero tinha cidadania e passaporte dos Estados Unidos, mas, vendo-a, qualquer um adivinhava que ela provinha de outro lugar; era cor de doce de leite, tinha cabelos pretos, presos num pequeno rabo de cavalo, e traços de indígena. Às vezes lhe perguntavam se pertencia a alguma tribo norte-americana, porque ela falava inglês sem sotaque. Não lhe sobravam raízes em outra terra, as que tinha estavam plantadas na Califórnia. Seu pai lhe dissera que existiam alguns parentes distantes em El Salvador, mas Leticia não conhecia nenhum. De sua própria família só ficaram ela e o pai.

Entrara nos Estados Unidos cruzando a nado o rio Grande, agarrada ao pai, Edgar Cordero. Isso tinha sido no começo de janeiro de 1982, vinte e quatro dias depois do massacre de El Mozote. Raríssimas vezes falava disso. Não falou sobre o assunto com o pai, enquanto ele estava vivo, porque aquele homem guardou sua dor numa caixa lacrada da memória; achava que só o silêncio manteria aquela dor intacta. As palavras diluem e deformam as lembranças, e ele não queria esquecer nada. Leticia também não falava do assunto com os americanos, porque em seu novo país ninguém sabia de El Mozote e, se ela tivesse contado, não teriam acreditado. Na verdade, pouquíssima gente conseguia localizar El Salvador no mapa, e as tragédias daquele país tão próximo eram como história antiga de lugares remotos. Os imigrantes que chegavam da América Central pareciam todos iguais, gente escura e pobre, gente de outro planeta que se apresentava espontaneamente na fronteira com sua carga de problemas.

Leticia se lembrava de algumas coisas da infância: o cheiro de fumaça do fogão à lenha, a vegetação densa, o sabor do milho macio, o coro dos pássaros, as tortilhas da manhã, as orações da avó, o choro e o riso dos irmãos. Da mãe nunca se esqueceu, embora dela só tivesse uma fotografia, tirada na praça de um povoado, quando estava grávida do primeiro filho. Guardava-a como uma relíquia numa caixa, que era seu altar portátil, onde também tinha duas fotos do pai, a certidão de seu terceiro casamento – o único que importava –, o primeiro dente da filha e outros objetos sagrados. A lembrança mais clara que tinha daquele tempo era do massacre, embora não estivesse lá quando ele ocorreu. Aquelas imagens ela foi coligindo ao longo da vida, buscando e buscando para tentar compreender. E, de tanto buscar, foi como se tivesse vivido aquilo.

Várias gerações de sua família haviam morado no vilarejo salvadorenho de El Mozote, com pouco mais de vinte moradas, uma igrejinha, a casa paroquial e uma escola. A choça da família, como quase todas as outras, era de madeira, com chão de terra batida, composta de dois quartos nos quais se dividiam os pais, os filhos e a avó. O rádio sempre estava ligado numa estação que dava notícias e tocava música popular; havia um retrato colorido à mão da mãe e do pai no dia do casamento, rijos e solenes, e uma estatueta de gesso de Nossa Senhora da Paz, padroeira de El Salvador. Os Cordero, como toda a gente daquela aldeia, eram evangélicos, ao contrário dos habitantes da região, quase todos católicos, mas isso não os impedia de ser devotos de Nossa Senhora da Paz. Leticia dormia com dois irmãos numa esteira no chão, a avó dividia sua cama com um dos netos, que não andava, por ter nascido doente dos ossos, e seus pais dormiam em outra com os dois filhos menores. Tinham galinhas, cachorros, gatos e um porco; os animais andavam soltos, as crianças também, ninguém as vigiava, brincavam nas cavernas dos montes, entre o matagal e as lagoas. Além disso, ajudavam desde muito pequenas nas tarefas domésticas e da terra. Leticia acompanhava a mãe quando esta ia lavar roupa no rio, esfregando-a com sabão e batendo-a contra as pedras, depois de a terem deixado de molho durante a noite em água de cinzas. A menina ia a pé para a escola com seu único par de sandálias na mão, para não as estragar, e as calçava ao chegar. Havia muitos alunos naquela escolinha, porque todos vinham dos vilarejos próximos, e uma única professora, que ensinava com textos amarelecidos pelos anos e se fazia respeitar com o método de premiar com balas e castigar com reguadas nas palmas das mãos. Seu pai trabalhava na agricultura, como todos os homens por aquelas bandas; possuía um pedaço de terra, na qual, em conjunto com os vizinhos, cultivava milho, mandioca, abacate. Dizia que eram pobres, mas menos pobres que outros, porque não tinham de derrear os costados nos cafezais dos latifundiários e não passavam fome. O culto dominical era o acontecimento da semana, o único dia de descanso em que vestiam a roupa de sair, cantavam hinos e oravam para que a colheita se livrasse das pragas, os animais parissem, os guerrilheiros e os soldados os deixassem em paz, e eles se aproximassem de Jesus. Os Cordero pediam também por Leticia, que fazia meses tinha dor de estômago, e as infusões de anis, menta e salsinha não a aliviavam. A festa mais importante era a do batismo das crianças de oito anos. Celebrava-se com uma procissão pela manhã, com a cerimônia de submersão no rio, música, dança e comida à noite. A avó estava costurando o vestido branco de Leticia para o ano seguinte.

As dores da menina foram se agravando a cada semana. Ela estava inchada, não queria comer, adormecia a cada pouco, andava como sonâmbula. Parecia tão fraca, que a dispensaram de lavar roupa com a mãe ou de ajudar a avó na cozinha, mas não permitiram que faltasse às aulas. Um dia vomitou no pátio da escola. Naquela tarde a professora a acompanhou à sua casa para falar com o pai.

— Ouça, dom Edgar, sua filha está soltando sangue pela boca, isso é muito grave.

— Às vezes ela vomita. Já consultou o médico do governo, que passou por aqui faz quatro ou cinco semanas, se bem me lembro.

— O que ele disse?

— Que tinha indigestão e anemia. Deu umas gotas e mandou comer muita carne e feijão, mas tudo cai mal. Continua na mesma. Acho até que piorou, professora.

— Precisa levá-la ao hospital.

— É muito caro, professora.

— Vamos ver o que se pode fazer — respondeu ela.

No domingo, o pastor itinerante expôs a situação aos fiéis e, como sempre se fazia diante de uma emergência, todos depositaram o máximo que podiam na coleta, que foi totalmente destinada a pagar duas passagens de ônibus e dar aos viajantes alguma coisa para os gastos. A avó preparou uma bolsa com a melhor roupa da menina, para que ela se apresentasse decentemente na capital, e uma cesta com pão, queijo e meio frango assado. A mãe pôde ajudar muito pouco nos preparativos, pois acabava de dar à luz num parto demorado e difícil, que a deixara muito cansada, mas acompanhou o marido e a filha ao ponto do ônibus. Vários vizinhos, o pastor e a professora também chegaram a tempo de se despedirem. Depois de orar brevemente por eles, o pastor entregou a Leticia uma cruzinha de plástico e explicou que ela brilhava à noite, tal como brilha o amor de Jesus nos tempos de escuridão.

A viagem no ônibus cheio de gente, com crianças, galinhas vivas e volumes de todos os tipos por caminhos cheios de curvas e buracos, poderia ter sido difícil para Leticia, mas a professora lhes dera um frasquinho com gotas de valeriana, que ela tomava para a insônia. Com as gotas, a menina dormiu várias horas apoiada no pai, e outra dose lhe permitiu continuar dormindo mais tarde na cidade, quando precisaram passar a noite num banco da praça.

No hospital disseram que eles precisavam se inscrever para uma consulta dentro de dois meses, mas justamente quando Edgar Cordero estava preenchendo o formulário, o sacolejo do ônibus produziu efeito retardado, e sua filha caiu de joelhos, vomitando sangue aos pés do recepcionista. Levaram-na depressa numa maca, e ele a viu desaparecer atrás de uma porta. Muitas horas depois, ficou sabendo que Leticia tinha uma úlcera perfurada no estômago e havia sido operada de urgência. Explicaram que ela havia perdido muito sangue, precisava de uma transfusão e ficaria hospitalizada até estabilizar-se.

Era inútil esperá-la, disseram, o melhor seria telefonar dentro de alguns dias para saber quando poderia ir buscá-la. Permitiram-lhe vê-la durante alguns minutos, mas a menina ainda estava aturdida pela anestesia, e ele só conseguiu lhe dar um beijo na testa e pedir a Jesus que a protegesse.

Edgar Cordero voltou à aldeia pedindo carona a caminhoneiros, pois não podia usar a passagem de ônibus; precisava reservá-la para a volta com Leticia.

Dois dias depois da operação, Leticia tinha uma bandagem na barriga e os braços cheios de hematomas por causa das agulhas hipodérmicas e das sondas, mas estava começando a comer papas e andava pelos corredores várias vezes por dia, apoiada num andador, para fortalecer as pernas, como haviam indicado. No começo se sentia enjoada e com os joelhos bambos, mas não esmorecia, porque estava decidida a melhorar logo para voltar à sua família; não via a hora de segurar o irmãozinho recém-nascido nos braços.

Aquele hospital público servia a uma vasta zona de população carente, tinha pacientes demais e poucos recursos, os médicos estavam sempre apressados, enquanto as enfermeiras, cansadas e mal pagas, não davam conta do serviço. A umidade descascava a pintura das paredes, a ferrugem manchava os banheiros, o lixo costumava transbordar das lixeiras, e os lençóis, quando havia, estavam tão gastos que tinham ficado translúcidos; algumas camas só tinham um plástico cobrindo o colchão. Os pacientes costumavam esperar meses para ser atendidos, e, se Leticia não tivesse ficado banhada de sangue, aquele teria sido seu destino. No entanto, o atendimento médico era bom e compensava a pobreza do hospital.

Leticia era a única menina numa sala comum de adultos. Nunca havia silêncio, e o trânsito de pessoal era constante, como no mercado, mas ela se sentia tão sozinha como nas cavernas, onde brincava de esconde-esconde com outras crianças. Estava acostumada a dormir com os irmãos, à presença da família, aos limites de sua choça e de sua aldeia; sentia saudade da mãe e temia que algo acontecesse ao pai, e ele não conseguisse vir buscá-la. Queria verificar se a cruz de fato brilhava na escuridão, mas ali não anoitecia, as luzes permaneciam sempre acesas. Ela chorava em silêncio, para não incomodar.

No quinto dia, teve alta do hospital. Esperou o pai com a roupa na bolsa, banhada, penteada com as tranças habituais e, em lugar da bandagem espalhafatosa, tinha apenas um curativo na barriga. Despedira-se do pessoal e dos pacientes de sua sala, tinha pressa de ir embora. Quando seu pai chegou, ela quase não o reconheceu. Era um mendigo sujo, desgrenhado, com barba despontando e expressão espavorida de quem vislumbrou o inferno. A enfermeira encarregada daquele andar parou por um momento em suas idas e vindas para dar as instruções necessárias a Edgar Cordero. Disse que a recuperação havia sido muito boa e em duas semanas Leticia estaria como nova, desde que se alimentasse direito e repousasse. Não devia fazer força, para evitar que a sutura se abrisse.

— Não me dói nada, papai. Posso comer e não vomito — acrescentou a menina.

Edgar tomou-lhe a mão, pôs a bolsa no ombro e saiu para a luz incandescente do meio-dia.

— Vamos voltar no mesmo ônibus, papai?

— Não vamos voltar nunca mais, Lety — respondeu o pai, e um soluço profundo cortou-lhe a voz.

Muitos anos depois, Leticia decidiu descobrir o máximo possível sobre aquele dezembro terrível de 1981, que determinou sua vida. Mais de uma década se passaria para que a verdade fosse aflorando aos poucos, porque nem ao governo de El Salvador nem ao dos Estados Unidos convinha que ficassem conhecidos os detalhes do ocorrido em El Mozote e em outros vilarejos da região. Negaram o massacre, impediram a investigação e asseguraram a impunidade dos assassinos. Foi uma orgia de sangue perpetrada por uma operação de militares treinados pela CIA na infame Escola das Américas, no Panamá, para combater os insurgentes da Frente Farabundo Martí. A intervenção dos norte-americanos, em defesa de seus interesses políticos e econômicos, facilitou durante anos a cruenta repressão sofrida pelo país. Na realidade, foi uma guerra contra os pobres, tal como ocorreu em outros países nos tempos da Guerra Fria. Tratava-se de extirpar pela raiz os movimentos de esquerda, em especial as guerrilhas.

Em El Mozote não havia guerrilheiros, só camponeses da aldeia e muitos outros que tinham ido para lá, porque, sabendo que os soldados estavam chegando, tinham ouvido dizer que em El Mozote estariam seguros. Não foi o que aconteceu. Em 10 de dezembro, os soldados do batalhão Atlacatl chegaram em helicópteros com seu furor de guerra e ocuparam vários vilarejos da região em questão de minutos; sua missão era aterrorizar as populações rurais para impedir que apoiassem os insurgentes. No dia seguinte, separaram as pessoas: homens de um lado, mulheres de outro, crianças na casa paroquial, que chamavam de convento. Todos foram torturados, inclusive as crianças, em busca de informações; estupraram as mulheres e depois executaram todos, uns a tiros, outros a facadas; alguns foram queimados vivos. As crianças foram atravessadas com baionetas e metralhadas; depois, eles incendiaram o convento. Os corpinhos queimados ficaram irreconhecíveis. Com o sangue de um bebê escreveram na parede da escola: "Um menino morto, um guerrilheiro a menos." Também mataram os animais e incendiaram as casas e as plantações. Deixaram os cadáveres estirados, e as brasas, ardendo. Cumpriram perfeitamente sua missão, aniquilaram mais de oitocentas pessoas, metade das quais crianças de seis anos em média. Arrasaram a vida.

Houve muitas operações semelhantes na década de 1980, durante a guerra civil, que durou doze anos e deixou um saldo de 75 mil mortos, a grande maioria assassinada pelos militares.

Edgar Cordero chegara à aldeia dois dias depois da chacina, ocorrida enquanto ele e a filha estavam na capital; os soldados tinham ido embora e ali só havia cadáveres apodrecendo ao sol, entre moscas. Foi assim que ficou sabendo do que havia ocorrido, sem que ninguém lhe contasse. Leticia nunca soube se ele tinha conseguido enterrar a mãe, os irmãos e a avó dela, porque ele jamais lhe contou o que havia visto. "É melhor você não saber", era sua resposta, quando ela perguntava.

Ao saírem do hospital, a única explicação que Leticia recebeu do pai foi que os militares haviam passado pela aldeia, e a família já não existia. Eles precisavam ir para longe e começar outra vida. A menina não entendeu a magnitude da tragédia, mas sentiu-a como um vazio imenso no peito. Não estava em condições de empreender a viagem que o pai planejava. Precisaram permanecer na cidade durante mais de duas semanas, sem dinheiro e sem conhecer ninguém. Abrigaram-se numa igreja evangélica, que lhes ofereceu um refúgio para passarem as noites e café da manhã com pão, mas não podiam permanecer ali durante o dia. Edgar deixava a filha à sombra das árvores, num parque, e saía em busca de trabalho no que quer que fosse, para ganhar apenas o bastante para a comida. Sentada entre as árvores, sozinha e faminta, Leticia recuperou o ânimo suficiente para começar a caminhar rumo ao norte.

Fizeram grande parte da viagem a pé, pedindo carona aos caminhoneiros ou encarapitados no teto de trens de carga, porque não tinham dinheiro para pagar transporte. Comiam da caridade de gente bondosa e das igrejas e refúgios que ajudavam os migrantes. Às vezes podiam ficar um dia ou dois no pátio de um daqueles refúgios, onde lhes davam um prato de comida quente e lhes emprestavam uma mangueira para se lavarem; outras vezes passavam a noite encolhidos em algum descampado, com outros viajantes como eles, protegendo-se juntos de assaltantes, malfeitores e da fustigação da polícia. Como não tinham guia — o chamado coiote — para conduzi-los, seguiam o fluxo dos migrantes, homens, mulheres e crianças com a esperança de chegarem ao norte. Avançavam mais devagar que a maioria, porque Leticia estava sem forças; em alguns trechos, seu pai a punha sobre os ombros e avançava impulsionado pela dor e pela ira. Uma das lembranças mais aterrorizantes de Leticia era a travessia do rio Grande à noite, amarrada com uma corda ao peito do pai, enquanto ele se agarrava com as duas mãos a um pneu. Naquele trajeto, ela perdeu a cruz que brilhava no escuro. Às vezes acordava gritando, com a sensação vívida do medo, do frio, da escuridão, do silêncio, das orações e da corrente poderosa da água.

Os primeiros tempos nos Estados Unidos foram difíceis. Edgar Cordero conseguia trabalho aqui e ali, na colheita de frutas, em fábricas de tijolos, carregando sacos; nada durava, eles se deslocavam muito. Viviam agregados a famílias de migrantes ou em miseráveis cômodos de aluguel, prontos para partir de novo, mas a menina sempre foi à escola. As únicas vezes que o pai se zangava era quando ela tirava notas ruins, e a única vez que lhe deu uma surra foi quando ela roubou um brilho labial no supermercado.

Os templos evangélicos da comunidade latina os ajudavam. Eram igrejas em movimento, como sua congregação, compostas de imigrantes, muitos sem documentos, que iam de um lado para outro procurando trabalho. O pai de Leticia encontrou consolo entre pessoas da mesma fé; participava do culto várias vezes por semana e lia dificultosamente a Bíblia em espanhol. Os cultos religiosos eram a única vida social que os dois tinham, onde se sentiam parte de uma comunidade, não estavam sozinhos. Os fiéis se ajudavam mutuamente, organizavam esportes para as crianças, oficinas de costura, bingo para os idosos, cafés da manhã aos domingos com rosquinhas e chocolate quente, reuniões de Alcoólicos Anônimos e muito mais. O pastor os recebia na porta do templo; as pessoas se cumprimentavam, alguns sabiam seus nomes, perguntavam se precisavam de alguma coisa. Leticia lembrava-se dos hinos, que eles cantavam com fervor, e os sabia de cor. O pastor dizia que Deus quer bem a todos, que não se importa com a cor da pele, mas rejeitava os pecadores. No final do culto, convidava quem tivesse de pedir perdão ou perdoar outras pessoas a ir lá para a frente. Metade da congregação ia; as pessoas se abraçavam e alguns caíam em transe, vencidos pela emoção. Edgar chorava, porque não conseguia perdoar os assassinos de sua família.

O pai de Leticia só conseguia os trabalhos mais mal pagos, não tinha documentos e não falava inglês; ela traduzia para ele. A escolaridade dele consistia em dois anos de primário, mas esperava que a filha estudasse para ter uma profissão, acreditava que, por intervenção de Jesus, ela ia conseguir uma bolsa de estudos.

Na época de maior pobreza, ficaram conhecendo Cruz Torres, um mexicano que estava nos Estados Unidos havia muitos anos, tinha uma equipe de latinos a seu serviço e trabalhava com construção civil. Cruz sabia usar cimento, tijolos, madeira e pedra, entendia de encanamento e eletricidade, conseguia trocar um teto e fazer uma piscina. Ficou com pena de Edgar, aquele homem calado e triste, que perdera tudo e agarrava-se à filha como a um salva-vidas. Adivinhou que Leticia era a única razão que o pai tinha para continuar vivo. Sob sua proteção, a situação de Cordero melhorou. Como sua pequena empresa ficava no norte da Califórnia, convenceu-o a ir para lá e prometeu que não lhe faltaria trabalho. Conseguiu dois cômodos por uma pechincha em Berkeley. Naquela cidade havia algumas moradias controladas com aluguel fixo, que não podia subir. A casa era uma pocilga no último estado de decrepitude, mas para Edgar e sua filha era um palácio.

Em vez de estudar, Leticia fugiu com o primeiro amor antes de terminar a escola secundária. Apesar do trauma, do desenraizamento e da pobreza, era uma garota simpática, que entabulava conversa com desconhecidos na rua e sempre estava disposta para festas. Tinha ritmo no sangue. Apaixonou-se, com a paixão absoluta dos dezesseis anos, por um jovem americano loiro e atlético, tão bom para a farra quanto ela. De fato, conheceu-o num bar, onde não deveria ter posto os pés, primeiro porque era menor de idade, segundo porque o pai teria uma síncope se viesse a saber. Cordero era muito rigoroso e aplicava ao pé da letra os preceitos morais de sua religião, que condenava o álcool, a música popular, dança de qualquer tipo, roupa provocativa e piscinas públicas.

— Uma menina virgem pode ficar grávida tomando banho de piscina com homens — avisou.

— Ai, pai! As piscinas têm tanto cloro que nenhum bichinho daqueles sobrevive na água — respondeu Leticia, mas não tinha certeza do que dizia.

O namorado, encanador por profissão e alcoólatra por vocação, conseguiu para Leticia uma certidão de nascimento que lhe dava dois anos a mais, para poderem se casar. Esse ardil foi providencial, porque depois se separaram sem a papelada de um divórcio. O casamento nunca foi válido, mas Leticia veio a saber disso bom tempo depois, quando sua paciência se acabou.

A jovem decepcionou o pai ao deixar a escola e fugir, além de abandonar a religião. "Embora você deixe Jesus, Ele nunca te deixará", repetia, e orava de joelhos pela salvação da filha. Mas religião é questão de fé, que ela não tinha; fazia perguntas demais. Apesar disso, acreditava no poder de são Judas para as causas perdidas e de são Cristóvão, o santo dos viajantes; carregava sua imagem na bolsa para proteger-se de acidentes. Deixou o culto porque não suportava que o pastor da vez lhe dissesse o que pensar, como viver e até em quem votar. Um deles quis obrigá-la a suportar o encanador, de quem ela apanhava, porque Deus não aceita as mulheres caprichosas e soberbas, que se acham iguais aos homens, quando a Bíblia é muito clara a respeito: Eva foi criada de uma costela de Adão, portanto lhe deve submissão. Com os homens o pastor era mais tolerante.

A paixão ardente do casal muito depressa se transformou em agressão; brigavam por ciúmes, por dinheiro, pelas bebedeiras dele, porque ela estava farta de virar hambúrgueres no McDonald's, de viver endividada, enquanto ele gastava o salário na farra; enfim, qualquer pretexto servia para ele explodir, xingando, gritando e batendo. O encanador tivera uma brevíssima carreira na luta livre, que lhe deixara o nariz quebrado, várias tatuagens macabras de demônios e dragões e uma tendência irresistível à violência. A relação durou muito pouco, porque ela logo compreendeu que estava vivendo com dois homens diferentes. O que todos conheciam era brincalhão, solícito, generoso e ganhava bom dinheiro em seu ofício, mas não economizava, porque estava sempre disposto a comprar coisas supérfluas, a jogar ou a fazer empréstimos a amigos. Ela se apaixonou por essa versão do homem, a alma da festa, mas descobriu que por dentro ele carregava um monstro agachado, que emergia com o álcool. Nele se notava pouco a quantidade de bebida ingerida; às vezes ele cumpria suas obrigações durante uns dias, mesmo tendo bebido, mas, quando se perdia no fundo da garrafa, era temível.

Naquele homem, a bebida acendia uma raiva incontrolável que antes servia no ringue de luta livre, mas na vida normal não achava saída, e a pressão em suas veias ia se acumulando. Leticia vivia observando-o para adivinhar os sinais de uma bebedeira perigosa, porque, se não conseguisse se pôr a salvo, recebia umas bordoadas. Isso ela suportou dois anos com a esperança de que ele mudasse, como prometia a cada reconciliação, até que uma noite em que ele estava prestes a agredi-la, ela arremeteu contra ele com o ímpeto de um touro de briga, dando-lhe uma prodigiosa cabeçada no peito. Apanhado de surpresa, ele perdeu o equilíbrio e caiu de costas contra a bancada de granito da cozinha. Bateu a nuca e ficou inerte numa poça de sangue; enquanto isso, ela caminhou vinte e duas quadras a passos largos para encontrar o pai. Não lhe ocorreu pedir socorro. Seu pai a viu chegar muito tranquila, com os sapatos manchados de sangue, dizendo que tinha matado o marido. Mas o fato é que ele não estava morto, só aturdido. A partir daquele dia, o homem passou a respeitá-la. Quando ela anunciou que ia deixá-lo, ele não ousou se opor. Leticia nunca mais o viu e nunca mais permitiu que alguém a ameaçasse.

O encanador foi substituído por outro homem, com quem ela se casou sem necessidade de certidão falsa; esse também desapareceu depressa de sua vida. Conheceram-se no restaurante onde ambos trabalhavam. Era um bom sujeito, mas, poucos meses depois do casamento, envolveu-se com outra mulher, uma piranha ordinária, como a qualificava Leticia nas raras ocasiões em que a mencionava. Na realidade, aquele marido lhe deixou tão poucas lembranças, que nos anos seguintes ela foi esquecendo até mesmo seu nome.

Leticia sabia pouquíssima coisa de El Salvador, apenas o que a professora da escolinha rural de El Mozote conseguira lhe ensinar, mas descobriu muito na biblioteca pública. Lá, por meio de internet, livros e revistas, tinha visto centenas de imagens, a vegetação tropical, água por toda parte, frutas e flores de mil cores, montanhas e vulcões, o mar azul do Pacífico. Havia estudado um livro de aves com um *torogoz*[1] na capa, o pássaro nacional de brilhante plumagem e longa cauda. Nada a unia àquela terra, mas, como tinha numerosas amizades na comunidade de imigrantes salvadorenhos, conservava o sotaque, algumas tradições, a música e a comida, mas não sentia a mesma saudade. Muitos deles iam ver a família todo ano, mas ela só foi uma vez. "O que vou fazer lá?", dizia quando lhe perguntavam. Não tinha família nem conhecidos e ouvira dizer que era perigoso. Firmados os acordos de paz entre o governo e a guerrilha em 1992, terminou oficialmente a guerra civil, mas não acabou a violência. Os criminosos e narcotraficantes, tatuados dos pés à cabeça, que enchiam as prisões, pertenciam às infames *maras,* que nenhum governo conseguira desmantelar.

Quando tinha 22 anos, entre o encanador alcoólatra e o garçom que se foi com a piranha, Leticia viajou a El Salvador. O pai se negou a acompanhá-la, tinha jurado não voltar a pisar naquela terra manchada com o sangue de sua família. Leticia pretendia localizar alguns parentes, pois sabia que existiam uns primos distantes, mas não ficou o suficiente para procurá-los. Foi diretamente a El Mozote enfrentar lembranças e pesadelos.

---

1 Esse é o nome regional da *Eumomota superciliosa.* No Brasil, esse pássaro é conhecido como juruva ou udu. [N.T.]

Conseguiu um guia disposto a levá-la ao vilarejo de sua família, e este a avisou de que ali não havia nada. Durante mais de dez anos, o governo havia negado a chacina, eliminando provas e calando as tímidas denúncias dos sobreviventes, mas com o fim da guerra civil a coisa veio à tona. Na região todos se lembravam do ocorrido. Leticia e o guia chegaram à zona num ônibus e depois precisaram prosseguir a pé. Ela reconheceu a paisagem, embora a vegetação fosse muito mais frondosa, e o clima, mais quente do que se lembrava. Andaram durante longo tempo, abrindo caminho em alguns trechos, porque a trilha desaparecia a cada momento, mas o guia conhecia a rota de cor. Contou-lhe que durante o massacre tinha dez anos e sobreviveu nas montanhas, onde os camponeses se escondiam na guerra civil. Os soldados chegavam a cada dois ou três meses em outra de suas sinistras operações e então as pessoas corriam para as cavernas. Foi assim durante anos, disse; ele havia crescido sempre fugindo e já não conseguia parar quieto. Também tinham matado toda a sua família naquele dezembro de 1981. Os soldados obedeciam a ordens e, como ninguém lhes pedia contas, encarniçaram-se.

— Por que assassinaram as crianças? Nenhuma fera das montanhas é capaz de cometer essas atrocidades. Os homens que fizeram isso eram iguais às vítimas, gente do povo, gente pobre — disse.

Leticia não encontrou nem rastro de seu passado, nenhum vestígio da mãe, dos irmãos ou da avó. No local onde antes havia uma pequena aldeia só restavam ossos debaixo da terra ou enredados na mata e os restos de algumas choças. Ninguém andava por lá. No ar havia um zumbido de insetos e um sussurro de almas perdidas. Ouvia-se o choro das crianças, mas talvez fosse a brisa nos canaviais.

Edgar Cordero morreu quando Leticia estava com Bill Hahn, seu terceiro marido. Não chegou a conhecer a neta, que ele esperava com grande entusiasmo; Leticia dissera que lhe daria o nome de Alicia, como sua mãe. Encontraram-no sentado numa cadeira, com a cabeça descansando sobre a Bíblia aberta na mesa. Não estava doente nem velho, a vida simplesmente se apagou para ele, num trânsito amável. O pastor disse que ele havia voado para o céu nos braços de Jesus, Nosso Senhor. Cruz Torres encarregou-se do funeral, pagou desde o caixão até as flores, depois levou os enlutados a um restaurante mexicano.

Leticia, agarrada à mão do marido, com uma barriga de sete meses e o rosto inchado de tanto chorar, também compareceu, para não ofender Cruz.

— Agora que dom Edgar se foi, lembre-se de que sou como seu padrinho, Leticia. Você sempre pode recorrer a mim se precisar de alguma coisa.

— Muito obrigado, dom Cruz, mas ela é minha mulher e cabe a mim cuidar dela — interveio Bill Hahn, respeitosamente.

— É verdade, mas nunca se sabe o que pode acontecer. Espero que estejamos sempre em contato, Leticia.

Bill Hahn descendia dos pioneiros que cruzaram a pé o continente norte-americano em 1849 com a ambição de enriquecer com o ouro. Seus tataravós tiveram uma vida de penúrias, perseguindo a fortuna arisca, sem nunca alcançá-la. Alguns de seus descendentes viveram breves períodos de prosperidade, mas o carma daquela família consistia em muito esforço e pouca recompensa. Bill, orgulhoso de sua linhagem, dedicara-se a estudar a febre do ouro em São Francisco e até coligira cartas e documentos de seus antepassados. Aquela curiosidade pela história lhe valera um emprego no museu de Oakland, onde ganhava um salário modesto, mas suficiente para manter a mulher com decência. Não queria que ela trabalhasse durante a gravidez nem depois, quando tivesse de cuidar da menina que ia nascer. Era um homem introvertido e de sentimentos intensos, que se apaixonara por Leticia à primeira vista no hall do museu. Foi desarmado por sua figura, sua segurança e pelo sorriso com que ela lhe agradeceu a informação sobre o local da cafeteria. Foi tão forte a impressão, que ele abandonou seu posto para segui-la e, vencendo a timidez atávica, pediu licença para se sentar à sua mesa. Desde aquele momento iniciou uma estratégia metódica para conquistá-la, até que conseguiu. Fazia pouco mais de dois anos que estavam casados, e Leticia nunca tinha se sentido mais contente na vida. Aquele homem, de aparência insignificante, era dono de uma reserva inesgotável de ternura e de um surpreendente senso de humor.

No entanto, nunca se sabe o que pode acontecer, como predisse Cruz Torres naquele dia do enterro. Fazia várias semanas que Bill tinha uma dor de cabeça forte, controlada com punhados de analgésicos; andava com a vista embaçada e o pescoço tenso, mas foi adiando a consulta ao médico, com a esperança de que os sintomas desaparecessem com o tempo, como costuma acontecer com quase todos os mal-estares. Naquela tarde, na hora de fechar o museu, quando verificava se tudo estava em ordem para passar o turno aos guardas da noite, um aneurisma traiçoeiro rompeu-se em seu cérebro. Uma onda de dor o cegou, e ele caiu ao chão, onde foi encontrado duas horas depois.

Leticia foi informada por um policial, que veio e lhe pediu que o acompanhasse para identificar o cadáver. Foi como se um abismo se abrisse sob seus pés. Entrou banhada em lágrimas, com a filha no colo, na sala gelada onde haviam posto seu marido. Ao beijá-lo demoradamente nos lábios, repetiu a promessa que se haviam feito muitas vezes: estariam sempre juntos.

No começo, a jovem viúva manteve-se trancada no pequeno apartamento onde vivera com o marido, agarrada à filha, sem ânimo para sair, desesperada. Não queria ver ninguém, mas as pessoas chegaram a bater à sua porta com comida e consolo. Bill era solícito, e ela era amistosa, alegre e sempre disposta a doar; chegara o momento de receber, mas, no transcurso das semanas seguintes, os amigos e vizinhos voltaram a cuidar da própria vida, e ela sentiu o peso tremendo da solidão. Acostumara-se a depender de Bill, à sua atenção constante, a dormir com ele e a filha no meio. Fazia mais de dois anos que não trabalhava, restava pouco dinheiro no banco, e ela precisava cuidar da pequena Alicia. Não podia se dar ao luxo de continuar chorando.

Naquele ano 2000, Leticia tinha 27 anos, uma filha de 18 meses e a vida em frangalhos. Então Cruz Torres reapareceu, como que enviado do céu. Ao vê-la desamparada, triste e pobre, passou-lhe uma pensão e alugou para ela um aposento decente onde viveria durante um ano, até poder se valer sozinha. Estava reformando uma casa antiga nas colinas de Berkeley, contrato de longo prazo, porque implicava muito trabalho. Apresentou Leticia à dona da casa, que precisava de alguém que a ajudasse na limpeza e em outras tarefas domésticas. A mulher a contratou sem pestanejar, sem fazer perguntas; bastou-lhe a recomendação de Cruz.

Selena

São Francisco, Nogales, 2019

Em 23 de dezembro, Selena Durán apresentou-se no escritório de advocacia Larson, Montaigne & Lambert, instalado num arranha-céu da rua Montgomery, no centro do distrito financeiro de São Francisco. O escritório ocupava os três andares superiores, com uma vista espetacular da cidade. Aço, concreto, vidraças, móveis de couro e alumínio, plantas vivas, cores neutras, fotografias de dunas e nuvens. Já desde a dupla porta de vidro, com os nomes dos sócios majoritários gravados em ouro, percebia-se um ar de autoridade, eficiência, pressa, hierarquia. A recepcionista pediu a Selena que esperasse, sem oferecer assento, e chamou por um telefone interno. A jovem sorriu, divertida, adivinhando que aquela cortesia gelada, que beirava a hostilidade, destinava-se a impressionar os visitantes. Ela, porém, não se amedrontava facilmente.

Nos quinze minutos que esperou em pé, examinando as dunas e as nuvens das paredes, viu entrar e desaparecer por um corredor várias pessoas com bandejas cobertas. Por fim, uma mulher de meia idade, pouco à vontade nos saltos altos e num *tailleur* justo demais, chegou para buscá-la.

— Selena Durán? Bom dia. Sou a assistente do senhor Lambert.

— Tenho reunião marcada com ele — disse Selena.

— Sim, claro. Venha comigo, por favor. Desculpe a desordem. Hoje é o último dia de trabalho antes do feriado de Natal. À tarde temos a festa de fim de ano.

Selena pensou nas bandejas que tinha visto passar, imaginando camarões fritos, costelas de porco e espetinhos de carne. Tinha tomado uma xícara de café e comido duas torradas às cinco da manhã, para pegar o primeiro voo de Tucson a São Francisco às 7h15. Era quase meio-dia, ela estava com fome.

A assistente a conduziu por um amplo corredor até a porta dupla do fundo e bateu de leve com os nós dos dedos. Alguns minutos depois, Ralph Lambert abriu a porta. Selena o conhecia por fotografias na imprensa e por sua reputação; era a cara visível daquele escritório de advocacia, que se caracterizava por ganhar causas célebres de clientes capazes de pagar seus exorbitantes honorários. Era um homem de uns sessenta e poucos anos, mais baixo e magro do que ela imaginara pelas fotografias.

— Seja bem-vinda, estamos esperando — disse.

Selena entrou numa grande sala de reuniões com uma parede inteira de janelões e uma mesa comprida, onde havia uma dezena de pessoas sentadas. Outras tantas estavam de pé. Imaginou que seriam os associados jovens.

— A senhorita Selena Durán, do Projeto Magnólia — anunciou Lambert, indicando uma cadeira a Selena. Ela soltou sua enorme bolsa multicolorida da Guatemala no chão, junto à porta, acomodou uma mecha de cabelo atrás da orelha, ignorou a cadeira e encarou o grupo de pé, junto à cabeceira da mesa.

Selena sabia que, numa ocasião como aquela, precisava cuidar da aparência. A avó repetia isso com frequência, mas em seu emprego normal mais valia a comodidade que a boa apresentação, por isso seu traje habitual era composto por calças jeans, camisetas e tênis. Naquela madrugada tinha feito um esforço para se arrumar do modo como a avó gostaria; prendera o cabelo num rabo de cavalo, pintara os lábios e pusera o vestido preto, que ela chamava "vestido de mendigar", porque só o usava quando precisava conseguir doações. Achava que ele lhe dava um aspecto de seriedade.

Sentado à mesa, a pouca distância, estava Frank Angileri, o jovem advogado estrela do escritório, chamado de Favorito pelas costas; com inveja, murmurava-se que ele era o queridinho de Ralph Lambert, que reservava para ele os clientes de maior visibilidade; Lambert acabava de lhe delegar o caso Alperstein. Ele examinou a recém-chegada sem conseguir classificá-la. Acreditava-se exímio em adivinhar à primeira vista a condição de qualquer desconhecido, habilidade que lhe servia na profissão. Pelo nome, sem dúvida era latina, mas não combinava com o estereótipo, pois era alta e branca. Pareceu-lhe muito atraente, apesar de ter uns quilos a mais do que ele considerava apresentáveis. Que diabo era aquele projeto?

— Bom dia. Trabalho no Projeto Magnólia para Refugiados e Imigrantes — apresentou-se a jovem. — Como os senhores sabem, existe uma grave crise humanitária na fronteira com o México. O governo implementou a política de tolerância zero e ordenou a separação das famílias que chegam para pedir asilo. Isso já estava ocorrendo antes da ordem oficial. Milhares de crianças foram separadas de suas famílias, inclusive bebês lactentes, que foram arrancados dos braços das mães. Coube a mim acompanhar perante um juiz um menino de um ano sem os pais. Ia num carrinho, dormindo.

Aquilo era de conhecimento público desde maio do ano anterior, quando apareceu a primeira reportagem na televisão. A indignação nacional foi estrepitosa; o mesmo ocorreu no restante do mundo; ninguém ficou indiferente diante das imagens de crianças amontoadas em jaulas, deitadas no chão, sujas, chorando. Por fim, o governo cedeu à pressão e teve de suspender a ordem, mas então já havia milhares de menores sem os pais. Selena explicou que ainda estavam separando famílias com pretextos diferentes e que havia centenas de crianças em centros de detenção cujos pais não podiam ser localizados, porque não havia um registro adequado; ninguém pensou na reunificação. Além disso, estavam detidos milhares de menores que haviam chegado sozinhos, e outros continuavam chegando.

— O Projeto Magnólia atua para ajudá-los — continuou. — Não somos os únicos, existem outras organizações semelhantes. Há quase quarenta mil advogados e estudantes de direito trabalhando nisso como voluntários. Um assassino em série tem direito a advogado, mas isso não ocorre com imigrantes e refugiados. Quase sem exceção, a criança que se apresente a um juiz sem a devida representação legal é deportada. Quando tem quem a defenda, com frequência consegue asilo.

— A senhorita Durán pediu ajuda ao nosso escritório e, sem dúvida, ajudaremos — acrescentou Ralph Lambert.

Frank adivinhou que aquilo fazia parte da campanha para melhorar a imagem da empresa. O escritório tinha reputação de defender com êxito criminosos de evidente culpabilidade, que pagavam uma fortuna. Isso, de que antes o escritório se gabava, agora precisava ser dissimulado, porque os ventos sociais estavam mudando de direção. A impunidade dos milionários era menos tolerada. Isso explicava os gestos de súbita filantropia, como pôr mulheres em postos-chave e contratar profissionais não brancos. Já não se viam apenas homens brancos naqueles escritórios pioneiros.

A imigração era um assunto muito político e podia acarretar mais problemas que benefícios, mas Frank imaginou que Lambert havia sopesado o risco. Estava impressionado com a tranquila eloquência daquela jovem e envergonhado por não ter prestado mais atenção à tragédia da fronteira.

Selena perguntou a Lambert se podia usar o PowerPoint, seria coisa de poucos minutos. Ele deu uma breve ordem, sua assistente pressionou um botão na parede, e as cortinas desceram silenciosamente. Outra pessoa pôs sobre a mesa um projetor voltado para uma tela na parede, e em menos de um minuto ela o conectou a seu computador. Tinha muita prática, sabia que o mais importante era manter a atenção dos ouvintes. As imagens na parede iam aparecendo em rápida sucessão: famílias da América Central na perigosa peregrinação desde seus povoados até a fronteira; centenas de pessoas nos tetos de trens de carga, outras a pé no deserto ou nadando no rio; as patrulhas de fronteira e os civis armados, que se atribuíam o dever de vigiar e impor a lei a tiros; as celas de detenção chamadas "geladeiras", onde ficavam em temperatura baixíssima pessoas que vinham de climas quentes; os momentos comoventes em que os agentes levavam embora crianças gritando, enquanto mães e pais rogavam desesperados. Selena explicou que a prática continuava em vigor, mas de maneira insidiosa: agora aquilo era feito à noite.

Ninguém se moveu. Um silêncio denso imperou na sala. Muitos estavam francamente comovidos; duas mulheres enxugavam as lágrimas.

— Como podemos ajudar? — perguntou uma delas.

— Precisamos de advogados voluntários para defender os menores e deter essa forma de tortura para sempre. Nunca mais, nunca mais — disse Selena.

— Não sei nada de lei de imigração...

— É simples. Nós lhe daremos o treinamento necessário.

— Conte comigo, então.

— Qual é seu nome?

— Rose Simmons. Não sei se vou servir, não falo espanhol.

— Temos intérpretes. Muito obrigada, Rose.

— O escritório facilitará seus horários e manterá seu salário, mas a senhorita não pode descuidar de suas obrigações aqui, e o trabalho extra corre por sua conta — esclareceu Lambert a Simmons.

— Entendo.

— Não vai se arrepender, Rose, garanto — acrescentou Selena.

Frank corou. Teve a impressão de que Selena Durán cravava os olhos nele, selecionava-o entre os demais, julgando-o.

— Nisto não há dinheiro nem glória, por isso quase todas as pessoas que trabalham nisso são mulheres. O cuidado com as crianças nos centros de detenção e a assistência social e psicológica também estão em mãos femininas — disse Selena.

Num impulso irreprimível, Frank levantou a mão e anunciou que também estava disponível. Uma exclamação coletiva acolheu seu gesto. Ninguém esperava aquilo do Favorito, o membro mais ambicioso da equipe. Lambert pediu-lhe que o acompanhasse ao corredor e fechou a porta atrás de si.

— Como pensa fazer isso, Angileri? Você precisa se dedicar inteiramente a Alperstein.

— Vou fazer no tempo livre.

— Você não tem tempo livre. Também não tem férias.

— Vou passar o Natal com meus pais no Brooklyn, fico lá só dois dias e levo o arquivo de Alperstein. Mas quero lhe lembrar que não podemos fazer milagre, qualquer júri vai sacrificá-lo. Uma de suas vítimas, drogada e violentada, tinha catorze anos.

— Evite ir a juízo de qualquer jeito, Angileri. Se cometer um erro, pode se despedir de sua carreira.

— Não se preocupe.

Terminada a reunião, Selena Durán recolheu o computador, guardou suas anotações e passou a registrar os dados de Rose Simmons e Frank Angileri e a lhes explicar em que consistia o compromisso que teriam com o Projeto Magnólia. Primeiro fariam um breve curso de introdução on-line sobre os aspectos legais e depois ficariam incumbidos de um ou dois casos, como parte do treinamento. Conheceriam os menores, que estavam espalhados por diferentes centros de detenção, teriam de preparar a defesa e acompanhar as crianças quando fosse sua vez de comparecer perante um juiz. Isso podia demorar bastante, disse, porque os tribunais estavam sobrecarregados com milhares de casos atrasados.

— Devo avisar que, se entrarem nesse mundo, não vão conseguir sair — acrescentou com uma piscadela de cumplicidade.

— Tendo em vista que a senhorita nos enredou... — disse Frank.

— Me chame de Selena.

— Selena. O mínimo que pode fazer é aceitar um convite para almoçar conosco — propôs Frank.

— Não posso — desculpou-se Rose. — Hoje meus sogros chegam do Missouri para passar o Natal conosco.

— E eu hoje à tarde vou para Los Angeles — disse Selena.

— Mora lá?

— Moro no Arizona, mas minha família está em Los Angeles. Vou passar a noite de Natal com eles e no dia seguinte voo para o meu trabalho.

No íntimo, Frank agradeceu ao céu por Rose os ter deixado sozinhos, convenceu Selena de que sobrava tempo para ela pegar o voo da tarde e a levou ao Boulevard, um dos restaurantes caros onde seus chefes almoçavam com champanhe Dom Pérignon. A jovem, com suas botas desgastadas, um casaco que parecia ter saído de uma loja de roupa usada e aquela bolsa de cores berrantes como bagagem, era o oposto das mulheres sofisticadas com quem ele se exibia em público. Quis impressioná-la, cumprimentando o *maître* pelo nome, mas ela estava dependurada no celular, falando em espanhol. Deram-lhes uma mesa no fundo, perto da janela, e o garçom, que tinha boa memória para os clientes generosos na gorjeta, trouxe uma taça de *prosecco* para cada um, antes de lhes apresentar o menu.

— É um vinho espumante da região do Vêneto, no norte da Itália — ensinou Frank.

— Bastante bom — opinou ela, depois de bebê-lo de uma vez.

Frank compreendeu que uma bebida de qualidade seria desperdício com ela, que não saberia diferenciar entre um Quintessa e um vinho para cozinhar. Havia sido um erro oferecer-se como voluntário sem ter informações suficientes e outro erro convidar aquela mulher para almoçar; estava chocado com essas duas decisões. Ao tomá-las, ele tinha sido impelido por atração sexual, a primeira para demostrar a Selena que era um homem de princípios e bons sentimentos, e a segunda, para ir preparando o terreno para um encontro mais íntimo em futuro próximo, quando voltasse do Brooklyn. "Sou um idiota", pensou, mais envergonhado do que aborrecido. Mas, com poucos minutos de conversa, suas dúvidas se desvaneceram.

Beberam a garrafa de Quintessa contando a vida, ou melhor, Frank falando a maior parte do tempo e Selena ouvindo, ora mais distraída, ora menos. Ficou surpresa por ele se expandir acerca das dificuldades de seu trabalho, de sua experiência em tribunais e por dizer, de passagem, que tinha se diplomado na Universidade de Yale, mas sem lhe perguntar nada sobre a tarefa que ia realizar. Não quis apressá-lo, não faltaria tempo para que aquele presunçoso pusesse os pés no chão, pensou, divertida.

Selena pediu filé-mignon com batatas fritas. Frank quase fez um comentário sobre as calorias e o colesterol, mas se absteve a tempo. Optou por rodovalho no vapor; cuidava da forma. Suas conquistas geralmente eram vegetarianas e beliscavam a comida com muito cuidado; não se lembrava de nenhuma que comesse pão ou pedisse sobremesa, como Selena Durán, que devorou seu prato e temperou a salada.

O almoço se prolongou, e Frank decidiu faltar à maldita festa do escritório e levar Selena ao aeroporto, pois assim podia passar mais meia hora com ela.

O fato de mais tarde ter de ir outra vez ao aeroporto para seu próprio voo não o desanimou.

Selena traçou seus profiteroles com calda de chocolate com o deleite de quem está há muitas horas sem comer, enquanto ele contava do Natal no Brooklyn, onde sua família morava desde que os avós imigraram, vindos da Sicília. Era a única ocasião em que a família inteira se reunia, ninguém faltava à convocação: seus pais, dois avós, os irmãos com respectivos cônjuges, netos, alguns primos, uma vizinha solitária que tinha sido cantora de ópera e o tio Luca, que estava gagá.

— Anda armado com uma pistola do tempo de Garibaldi e se gaba de ter lutado nas Brigadas Internacionais da Guerra Civil Espanhola. Se fosse verdade, teria 103 anos, mas não aparenta mais de noventa — acrescentou.

— Fale de seus pais — pediu ela, para não ter de falar e poder se concentrar na comida.

— Têm a melhor rotisseria italiana do Brooklyn. Acho que meu pai nunca leu um livro, mas obrigou todos os filhos a estudar para ter uma profissão. Minha mãe é uma força da natureza, amável quase sempre, mas quando se zanga é melhor cair fora. Batia na gente com uma colher de pau. Uma vez bateu na minha cabeça com a tampa da panela de macarrão. Não doeu, mas ainda evito me aproximar dela quando está cozinhando. Nunca falou conosco em inglês. Em minha família brigamos e nos reconciliamos em italiano.

— Na minha fazemos isso em espanhol. O italiano vai ser útil para você, porque se parece um pouco com o espanhol — disse Selena.

— Eu estudei espanhol no secundário e na universidade, mas vou precisar me atualizar.

— As crianças que serão suas clientes entendem um sorriso ou um tom amável, Frank, precisam de poucas palavras. Meu espanhol não é perfeito, mas no trabalho o melhorei — explicou ela.

— Pelo menos você fala.

— Graças à minha bisavó, que sempre falou comigo em espanhol.

— Muito pouca gente pode se gabar de ter bisavó — comentou Frank.

— Na minha família somos várias gerações de mulheres imortais. Os homens vêm e vão ou morrem, duram muito pouco entre nós, por isso todas usamos o sobrenome Durán, da minha bisavó. Ela nasceu no México, como minha avó, que é vidente, mas minha mãe nasceu aqui e minha irmã, seus dois filhos e eu também nascemos aqui.

— Vidente, você disse?

— Sensitiva. É um dom de nascença. Alguns mortos se comunicam com ela. Às vezes ela também os vê.

— Está brincando!

— Ela é muito famosa. Nunca ouviu falar de Dora Durán? Há várias reportagens sobre ela. Participou de um programa de investigação de fenômenos paranormais da Universidade de Chapman. A polícia e gente de todo lugar vêm consultá-la.

— Sobre o quê?

— Depende.

— Vamos ver, dê um exemplo.

— Um dos casos recentes foi de um menino de nove anos que desapareceu. Minha avó localizou o corpo dentro de um poço.

— E conseguiu identificar o assassino? — perguntou Frank, dissimulando o riso.

— Não foi assassinado, caiu.

— Como a sua avó soube?

— Às vezes é um sonho, outras vezes é uma sensação muito forte ou uma premonição. De vez em quando a alma penada vem falar com ela. A do menino foi assim. Ela havia ido buscar os filhos da minha irmã na escola e estava esperando sentada num banco do parque, quando apareceu um menino ao seu lado. Minha avó se sentiu gelar da cabeça aos pés, e o coração disparar. O menino disse onde estava e depois sumiu.

— Deve ser apavorante crescer rodeada de mortos — disse Frank, brincando.

— Eu não os vejo nem ouço, nunca me incomodaram — respondeu ela, raspando o último vestígio de calda de chocolate com um dedo.

Eles foram os últimos a sair do restaurante. Caminharam para pegar o carro, e Frank a levou ao aeroporto. Combinaram encontrar-se depois do Natal no Arizona e, enquanto isso, ela lhe enviaria o curso que ele precisava acompanhar. Explicou que os juízes não tinham tempo para papeladas, que era preciso simplificar e agir depressa, que o argumento legal era fundamental, porém mais importante era provocar emoção. Tudo dependia do juiz, uns eram compreensivos e outros eram sacanas. Os novos eram todos sacanas.

Frank a acompanhou até onde pôde no aeroporto e a seguiu com o olhar quando ela passou o controle de segurança e se perdeu lá dentro. Esperava que a mulher se virasse e lhe fizesse um gesto de despedida, era o mínimo que ele merecia depois de lhe ter dedicado várias horas, mas ela o decepcionou.

Selena Durán dividia um apartamento com outra assistente social na cidade de Nogales, no Arizona, a dez minutos de Nogales em Sonora, no México. Tratava-se de um acerto temporário que já se estendia por dois anos e, tal como dizia Milosz Dudek, seu noivo eterno, era hora de fazer planos mais duradouros. Como se casar, por exemplo, e voltar a Los Angeles, onde estava sua família e onde ele a esperava cada vez mais frustrado e impaciente. Ela continuava encontrando pretextos para adiar as núpcias, e ele havia perdido a conta do tempo que estavam juntos. Milosz era considerado muito bom partido pela família Durán em peso, era jovem, saudável, sem vícios conhecidos e ganhava mais que um médico dirigindo caminhões descomunais de carga pesada pelo país, trabalho que exigia estabilidade emocional e resistência física. Oferecia à noiva vida segura e amor comprovado durante anos. Desejava filhos, um lar ameno, uma mulher contente que o esperasse em casa quando ele voltasse de suas viagens. Os caminhões eram lentos, e os trajetos, muito longos. Segundo as mulheres Durán, Selena não sabia a sorte que tinha, onde ia encontrar outro homem que ela pudesse dominar com dengos e, além disso, passasse a maior parte do tempo fora de casa; nenhuma mulher razoável deseja marido em tempo integral. Milosz a amava desde a adolescência; por duas vezes estiveram prestes a se casar, brigavam, distanciavam-se e voltavam a se encontrar e a recomeçar. Estava cansado daquilo. Sobravam oportunidades de estar com outras mulheres e, de vez em quando ele as aproveitava, mas depois não se lembrava nem de seus nomes. Selena era seu único amor.

Antes do Projeto Magnólia, Selena havia trabalhado no Serviço de Saúde, onde adquirira experiência administrativa e organizacional. Em seu novo emprego ganhava menos da metade do que recebia antes, mas encontrara seu lugar no mundo. Ao ficar sabendo da separação das famílias na fronteira, decidiu utilizar suas três semanas de férias acumuladas para ajudar. Soube do Projeto Magnólia, que existia desde quase trinta anos, e, apesar das objeções do noivo e da família, apresentou-se como voluntária. Era uma a mais entre milhares de pessoas indignadas que ofereciam ajuda. Bastou-lhe uma semana de trabalho com as crianças para renunciar a seu emprego. Não voltou a Los Angeles e, em pouco tempo, passou a fazer parte da equipe Magnólia. Desde então trabalhava de dia e assistia a aulas virtuais de leis e psicologia à noite. Sonhava em voltar à universidade depois de superada a crise na fronteira. Isso aumentaria sua dívida estudantil, mas valia a pena.

Frank avisou Selena de que chegaria em 25 de dezembro para vê-la e conhecer a menina que lhe havia sido destinada. Quando subiu no avião, ainda não tinha se recuperado da orgia culinária. A mãe começava a cozinhar com uma semana de antecedência: *manicotti*, lagostinhas, lagosta, enguia frita, salada de polvo, bife Wellington, sua famosa torta de arroz com espinafre e, de sobremesa, *cannoli*, torrão de amêndoas e uma obscena variedade de biscoitos feitos em casa. A ceia de Natal começava por volta das quatro da tarde e se prolongava até a hora em que iam em fila à missa do galo. Tratava-se de uma tradição respeitada por todos, ainda que metade da família fosse agnóstica. Caso alguém ficasse com fome, sempre havia nhoque com molho de tomate e, se sobrasse alguma coisa, sua mãe se ofendia. Frank era o único magro naquela tribo de *bons vivants*. Às vezes os olhos da mãe se enchiam de lágrimas quando ela pensava em seu pobre garoto, sozinho e faminto em São Francisco, aquela cidade depravada de ateus, vagabundos, drogados e homossexuais. A cada quinze dias, enviava-lhe almôndegas congeladas pelo correio expresso.

No voo para o Arizona, com conexão em Denver, Frank dispôs de sete horas para estudar o caso Alperstein, magnata próximo ao presidente, acusado de tráfico de menores, malversação de verbas públicas e lavagem de dinheiro. Frank aparecera num noticiário de televisão atrás do sujeito, e sua mãe quase teve uma síncope. Ele quis lhe explicar por telefone que todo mundo tem direito a defesa e que seu cliente era inocente até prova em contrário, mas ela o interrompeu gritando: "*Mi ha spezzato il cuore! Che peccato! Un mio figlio che difende un pedofilo!*" E bateu o telefone na sua cara. Tinha razão, Alperstein era repugnante. Frank lhe mandou um bilhete de reconciliação dentro de uma caixa de chocolates. Estava aturdido pelo voo noturno de São Francisco a Nova York, pelo excesso de comida na casa dos pais e pela falta de sono, mas desejava voltar para ver Selena; ela era a razão fundamental daquela maratona aérea, já que ele podia ter feito aquilo por Zoom. Tinha pensado nela mais do que convinha, embora ela estivesse longe de ser o ideal feminino que figurava em seus planos e, a julgar pela indiferença de sua linguagem corporal, não parecia lá muito interessada nele. Muito curioso. Talvez fosse uma forma incomum de sedução, pensou. Ele lhe daria outra oportunidade.

No aeroporto de Tucson, alugou um automóvel e pouco depois estava na cidade de Nogales, plantada numa paisagem desértica de colinas e montanhas e separada de sua gêmea do México pela longa cobra escura do muro fronteiriço. Esperava encontrar calor, mas a temperatura naquela época era mais agradável que o frio de dezembro em Nova York. O escritório do Projeto Magnólia estava fechado àquela hora, e Selena o esperava em seu apartamento, o que lhe pareceu ótimo sinal. Sentia-se exausto, mas, se ela lhe emprestasse o banheiro, poderia tomar banho, fazer a barba e convidá-la para jantar. Eram três horas a menos que Nova York.

O prédio era um bloco de concreto igual a vários outros daquela rua, sem o alívio de uma única árvore. O elevador não estava funcionando. Ele subiu por uma escada de limpeza duvidosa e viu-se diante de uma porta verde. Quem a abriu foi uma mulher que se apresentou como a companheira de apartamento de Selena; ofereceu-lhe um copo de água e retirou o gato do sofá para que ele se sentasse. Frank era alérgico a gatos.

O apartamento consistia em uma copa, separada da pequena cozinha por uma bancada, um corredor com duas portas, que Frank imaginou serem quartos, e um banheiro no fundo. Cada parede estava pintada de uma cor diferente, azul-celeste, terracota, canela, musgo, pedra; as cores do deserto, supôs. O efeito era oprimente, e o sofá com forro xadrez, de segunda ou terceira mão, em nada melhorava a decoração. Frank pensou com saudade em seu próprio apartamento, branco, despojado, arrumado, simples, masculino.

A mulher lhe disse que Selena voltaria logo e despediu-se, porque tinha um encontro. Meia hora depois, quando Selena chegou, Frank estava escarranchado no sofá, roncando suavemente com o gato em cima. Ela pôs um travesseiro debaixo de sua cabeça, cobriu-o com uma manta, porque à noite a temperatura caía muito, e foi para seu quarto com o gato.

A luz inclemente das seis da manhã e o cheiro de café despertaram Frank, que, por um momento, não sabia onde estava. Tinha a boca seca, a sombra de uma barba de dois dias e a sensação de estar com mau cheiro e pegajoso de suor. Selena Durán, vestida de jeans e com o cabelo molhado, pôs à sua frente uma caneca de café.

— Ânimo, rapaz, temos muito que fazer e aqui começamos cedo.

— Estou precisando de uma ducha. Na mala tenho uma camisa limpa.

Ela lhe indicou o banheiro, deu de comer ao gato e começou a fritar toucinho e a picar verduras para uma tortilha. O desjejum era sua única refeição caseira, pois ela passava o resto do dia à base de sanduíches e refrigerantes. Meia hora depois Frank Angileri emergiu do banheiro renovado. Era meticuloso na higiene, gostava das duchas longas e muito quentes, viajava com meia dúzia de artigos de cuidados pessoais em frascos pequenos, jamais usava os de hotel. A fragrância de sua loção de barbear e de sua colônia tinha um toque delicado de almíscar; ele havia lido que era afrodisíaco. Naquelas alturas, a tortilha tinha esfriado, e Selena estava falando ao celular em espanhol. Frank imaginou que era a ligação diária para a família, que ela havia mencionado. Depois de se despedir, Selena trouxe uma pasta e despejou o conteúdo na mesa.

— Sua cliente é Anita Díaz, de sete anos — explicou. — Foi separada de Marisol Díaz, sua mãe, no fim de outubro. Está há oito semanas num refúgio. A mãe foi levada a um centro de detenção no Texas; na realidade, é uma prisão particular conhecida por maus-tratos e abusos, uma enorme instalação rodeada de arame farpado num lugar isolado. Depois de pouco tempo foi transferida de novo, aparentemente por um problema de saúde, porque chegou aqui debilitada por causa de um tiro que levou em seu país e pela dura viagem, mas isso não é certeza. Supõe-se que depois foi deportada.

— Para onde?

— Não sabemos. A família é salvadorenha, mas não há prova de que Marisol tenha sido enviada para seu país, em geral deixam as pessoas do outro lado da fronteira, no México. Não conseguimos localizar Marisol.

— Como ela chegou aqui com a filha? — perguntou ele.

— Em meados de outubro apareceram pedindo asilo num posto de fronteira, aqui mesmo em Nogales. Foram rejeitadas. Não puderam cruzar. Está em vigor uma ordem presidencial que não permite deixar ninguém passar. Dez dias depois, Marisol cruzou ilegalmente e apareceu nos Estados Unidos, no deserto, onde foi detida com a menina. No bloqueio da guarda de fronteira, ela explicou ao policial que temia por ela e pela filha, pois estavam fugindo de um homem que as perseguia. Sabia que ele era assassino, havia tentado matá-la. Mostrou a cicatriz recente de um tiro no peito, que quase lhe custou a vida. Isso está no relatório. O que não está no relatório é a resposta do policial: "Não acredito em você, todos dizem a mesma coisa, não sou pago para deixar você entrar nos Estados Unidos."

— O país tem obrigação legal de dar proteção a quem pede asilo — disse Frank.

— Em teoria, mas na prática são tratados como criminosos. Ninguém os quer. A política de tolerância zero foi implementada para dissuadi-los, separando as crianças dos pais.

— E a filha de Marisol?

— Como lhe disse, está num albergue de menores. Consegui que ela pudesse falar por telefone com a mãe duas vezes. Depois perdemos o rastro de Marisol.

— Como pode uma coisa dessas!

— Desordem, má vontade, negligência, impunidade. Ninguém vai pagar por nada disso, as ordens vêm da Casa Branca — disse Selena.

— Já está marcada a audiência da menina?

— Ainda não. Essa é sua missão, Frank. Você precisa evitar que o juiz a deporte e conseguir que nos dê tempo para encontrar a mãe ou algum familiar nos Estados Unidos que possa tomar conta dela. Anita foi pressionada a pedir transferência voluntária, embora, segundo a mãe, corra risco de vida em seu país.

— Ela tem sete anos! — exclamou Frank.

— Isso acontece o tempo todo. Caiu nas minhas mãos um caso absurdo. O juiz perguntou a meu cliente se optava por deportação voluntária para voltar a seu país. O que é que o menino ia responder? Tinha um ano e ainda não falava. Anita é muito esperta. Nega-se a voltar para El Salvador sem a mãe.

Contou que nas breves conversas telefônicas que teve com Marisol, ficou sabendo que elas haviam passado três dias na chamada Geladeira ao lado de outras mulheres com crianças, algumas menores de dois anos, tiritando num frio glacial, amontoados em chão de concreto, sem mais agasalho que uma manta térmica. A ideia era que os detidos ficassem naquelas celas só algumas horas antes de serem interrogados e transferidos, mas muitas vezes passavam ali três ou quatro dias. Um menino de cinco anos estava sozinho, porque, ao ser apreendido com o pai, os dois foram separados. Chamava constantemente o pai, enquanto as mulheres tentavam em vão consolá-lo. As condições eram péssimas: comida escassa, falta de requisitos sanitários básicos, luzes acesas a noite inteira, agressividade verbal. Anita se queixava de sede, e um guarda disse que, se quisesse água, devia voltar a seu país. Quando viu o menino chamando o pai, Marisol imaginou que podia acontecer o mesmo com a filha e resolveu prepará-la; disse que provavelmente iam ficar separadas por uns dias, que ela não se assustasse, ficaria bem cuidada e logo estariam juntas de novo. Pediu que tivesse paciência e fosse valente; aquela era uma prova, depois iam ter uma vida boa nos Estados Unidos.

— Marisol foi conduzida com algemas nos pés e nas mãos para ser interrogada por um oficial de asilo e, quando a levaram de volta à cela, Anita já não estava. Não voltou a vê-la. Como ocorre com tantas outras mães, não lhe permitiram despedir-se da filha — explicou Selena. — O pessoal não tem treinamento para essa crise e está sobrecarregado. Alguns pedem transferência, porque não têm estômago para cumprir as ordens.

Frank Angileri afundou a cabeça entre as mãos. Nos anos de prática como advogado tinha visto de tudo, mas nada como a crueldade institucionalizada que Selena relatava.

— Ai, Selena! Estou acostumado a representar corporações e clientes como Alperstein, que pagam para burlar a justiça. Não sei se vou ser capaz de fazer o necessário para proteger Anita.

— O essencial é você estar disponível e o juiz não te apanhar em algum detalhe técnico, porque ele pode se agarrar a isso para indeferir o caso.

— Não sei nada de leis de imigração.

— Vai precisar estudar um pouco, Frank. Eu vou ajudar.

O albergue aonde Selena levou Frank era um dos melhores entre os muitos espalhados por diversos pontos do país. Normalmente tinham entre cem e quatrocentas crianças, mas naquele só havia noventa e duas. As crianças recebiam um número, porque com frequência o pessoal não sabia pronunciar o nome ou não se lembrava dele, mas para ela era uma questão de honra chamar cada um por seu nome. "Já perderam tanto, é terrível também perderem a identidade", comentou.

— Um repórter descreveu um desses centros como uma cena caótica de sujeira e doença, as crianças estavam imundas, muitas com gripe, não tinham acesso a roupa limpa, cama, banheiro, sabão ou escova de dentes. Dava para sentir o mau cheiro de fora. Suponho que por isso agora não deixam a imprensa entrar. Mas você não vai ver nada disso aqui, este é adequado — disse.

Consistia em dez unidades com um pátio comum para crianças pequenas, a menor de onze meses; a maior era Anita. Estavam divididos em grupos de oito ou dez, cada grupo a cargo de dois assistentes.

— As crianças deveriam ficar o menor tempo possível nesses albergues — explicou Selena. — Se não houver um parente próximo ou um patrocinador que as receba, são colocadas em lares adotivos. Às vezes os parentes não aparecem para se encarregar delas porque estão irregulares e têm medo de ser presos e deportados. O caso de Anita é pouco comum. Ela está aqui há mais tempo que o habitual por causa de um imbróglio administrativo.

Contou que alguns centros para crianças maiores, que muitas vezes chegavam sozinhas, eram verdadeiras prisões, como o caso de um imenso depósito de supermercado no Texas ou de uma base militar na Flórida. Havia alguns administrados por empresas privadas, interessadas em manter o maior número de crianças pelo máximo de tempo, já que o lucro era enorme. Para o governo, o custo diário por criança era altíssimo. Não permitiam a entrada de organizações de direitos humanos ou da imprensa, nem de membros do Congresso.

— Meu trabalho é gerir os casos de que sou incumbida. Nós, assistentes sociais, estamos sobrecarregadas, há crianças demais.

Precisava averiguar como ocorreu a separação, conseguir os serviços disponíveis e a defesa legal, tentar localizar os familiares e, dentro do possível, coordenar ajuda psicológica. Era difícil obter informações, pois às vezes a criança era muito pequena e não se lembrava ou ainda não falava, ou então estava traumatizada.

— Há centenas de menores no limbo, como Anita, porque não conseguem encontrar os pais — disse Selena. — Sem dúvida se passarão alguns anos até serem identificados e reunidos às famílias. Em alguns casos isso pode ser impossível. Isto é um pesadelo.

— Sabendo que podem perder os filhos, não entendo como essa gente corre o risco de cruzar a fronteira — disse Frank.

Ela lhe descreveu a situação da qual estavam fugindo. A maioria provinha da Guatemala, El Salvador e Honduras, o infame Triângulo Norte, uma das regiões mais perigosas do mundo, onde a pobreza mata devagar, a violência doméstica mata as mulheres, as quadrilhas, os narcotraficantes e o crime organizado matam com violência e os governos corruptos matam com impunidade. Não era estranho que alguns refugiados preferissem não voltar a ver os filhos em vez de recebê-los de volta, porque por algum motivo tinham fugido. Acreditavam que, por mais dura que fosse a burocracia americana, era melhor que o terror em seu país.

— Qual é a solução, Selena? Não dá para receber milhões de imigrantes e refugiados — disse ele.

— A solução não é levantar muros e prisões, muito menos separar as famílias, Frank. É preciso reformar o sistema de imigração e ajudar a resolver as causas pelas quais as pessoas saem de seus respectivos países de origem. Ninguém quer largar tudo e sair fugindo; quando fazem isso é por desespero.

— Isso não é responsabilidade do Governo americano.

— Os americanos provocaram grande parte do desastre naqueles países. Para acabar com os movimentos de esquerda, armaram, doutrinaram e treinaram os militares e financiaram a repressão. Aqui a justificativa foi a expansão da democracia, mas fizemos exatamente o contrário: derrubamos democracias e impusemos ditaduras brutais para defender os negócios das empresas americanas.

— Você é comunista, Selena?

— Quase ninguém mais é comunista, Frank, não seja simplório. Bom, talvez haja alguns na China ou na Coreia do Norte. Não se trata de esquerda, direita ou outra ideologia, mas de encontrar soluções práticas.

Selena levou Frank a uma das chamadas "casinhas", que era o mais parecido possível com um lar. Consistia em uma sala coletiva, três quartos com quatro beliches cada um, um banheiro e uma quitinete para preparar mamadeiras e esquentar lanches. Num canto havia uma arvorezinha de Natal, as paredes eram decoradas com desenhos infantis e recortes mexicanos de papel. Ela explicou que a alimentação não era ruim, a roupa era fornecida pelo refúgio, porque as crianças chegavam só com a roupa do corpo. Elas tinham horas de recreio, podiam ver televisão e brincar; a rotina era fixa, muito estruturada. Outros centros tinham sido acusados de maltratar os menores, inclusive com abusos sexuais, algumas crianças tinham morrido por negligência, mas ela não tinha sido incumbida de nenhum caso assim. As crianças vestiam calças e camisetas, estavam limpas, mas Frank notou de imediato o estranho silêncio do ambiente, que contrastava com as cenas de choro inconsolável descritas por Selena. Estavam pintando com lápis de cera e nenhuma delas levantou os olhos. Selena apontou para a única menina que não participava da atividade e permanecia sentada numa cama com uma boneca de pano.

— Anita! Sou eu — chamou em espanhol.

Imediatamente a pequena saltou da cama e se aproximou de Selena, que se ajoelhara e a apertou contra o peito. A menina era muito magra e baixa para a idade; tinha a pele dourada de sua raça mestiça, feições delicadas e cabelos pretos, cortados a tesouradas. Selena explicara a Frank que raramente havia tempo de estabelecer uma relação de confiança com as crianças, porque elas não conseguiam criar vínculos antes de serem transferidas e, além disso, o pessoal mudava com muita frequência, mas ela estivera encarregada de Anita desde o começo.

— Este é Frank, cumprimente-o — disse.

A menina ficou paralisada. Selena tinha avisado Frank de que Anita desconfiava dos homens em geral, inclusive dos poucos trabalhadores sociais masculinos do refúgio, sem dúvida por causa da experiência com algum guarda de fronteira ou talvez com alguém do passado. Frank pôs um joelho no chão para ficar na altura dela.

— Não tenha medo, o Frank é bonzinho. Ele vai te ajudar a ficar com tua mãe — acrescentou Selena.

Após uma pausa que Frank achou eterna, Anita estendeu a mão insegura, e ele a apertou. Nesse exato momento, deu-se conta de que a menina era cega.

No dia seguinte Frank Angileri tomou o avião para São Francisco. Tinha passado muitas horas no refúgio, primeiro brincando com Anita, para que ela se sentisse à vontade com ele, depois interrogando-a no minúsculo escritório que Selena lhe arranjou. Ao meio-dia compartilhou com as duas um lanche de *burritos* requentados e, às seis da tarde, com uma caderneta cheia de anotações e a mente em torvelinho pelo que tinha vivenciado, instalou-se no apartamento de Selena, onde ela improvisou uma cama para ele na sala. Devia ter ido a Tucson, a um hotel próximo do aeroporto, onde fizera uma reserva, mas aceitou sem vacilar assim que ela insinuou que ele ficasse para passar a noite. Naquelas alturas, já havia adiado indefinidamente seus planos de seduzi-la, pois estava envolvido em algo muito mais sério do que o romance que imaginara, percebendo que qualquer insinuação de sua parte estaria fora de lugar e seria ofensiva. Tinha sido uma ideia infeliz, um mau hábito que ele precisava corrigir. Também considerou a possibilidade de Selena rir dele. Não tinha conseguido impressioná-la.

Dispunha de duas horas e meia de voo para repassar o arquivo que ia discutir com Lambert ao chegar, mas, em vez disso, estudou suas anotações sobre Anita. A menina demonstrava ser muito mais madura do que se podia esperar, possivelmente pela experiência da viagem e pelo trauma da separação da mãe. As circunstâncias a haviam obrigado a virar-se sozinha. Compensava a cegueira com memória e capacidade de atenção nada lhe escapava, parecia ter antenas para captar o entorno. Não fosse o fato de não largar Didi, a boneca, e de lhe falar sussurrando, ela se comportava como se tivesse vários anos a mais; isso acentuava o contraste com sua aparência tão frágil. Selena serviu de intérprete para Frank se entender com ela, mas ele constatou satisfeito que entendia quase tudo o que a menina dizia; seu espanhol de colégio não tinha desaparecido.

Anita confirmou o que Selena lhe contara e falou de sua vida anterior e da viagem de El Salvador à Guatemala e depois, atravessando o México, até a fronteira dos Estados Unidos. Sentia falta da mãe e, ao falar dela, fazia esforço para não chorar.

— Fiquei sabendo que você não nasceu cega, Anita — disse-lhe Frank.

— Quando eu era pequena sofri um acidente. Se a luz for forte, consigo enxergar um pouco. Eu ia à escola e aprendi a ler, mas acho que estou esquecendo. Minha escola de antes não era para cegos — esclareceu Anita.

Selena explicou que, ao que tudo indicava, existia uma prima ou uma tia da família dela nos Estados Unidos, que, no entanto, não pôde ser localizada. Seria uma parente do pai de Anita, Rutilio Díaz, que morrera quando ela tinha cerca de três anos.

— Com quem você morava antes, no seu país, Anita? — perguntou Frank à menina.

— Com a minha Tita Edu. É minha avozinha. E com o meu avozinho, mas ele está doente e fica sempre na cama. Minha mamãe vinha ver a gente de sábado e domingo.

— Estamos sabendo que você fez uma viagem muito difícil com sua mamãe, que durou mais ou menos um mês, e em alguns lugares vocês iam montadas no teto de trens de carga — disse Frank.

— É, com outras pessoas. Eu era a mais pequeninha.

— Você sabe por que fizeram essa viagem?

— Porque um homem ia matar a minha mamãe. Ele deu um tiro nela. A Tita Edu me levou no hospital para ver minha mamãe, e eu me assustei muito, porque achei que ela ia morrer, mas nós rezamos e acendemos velas na igreja e ela não morreu. Depois que melhorou um pouco, foi me buscar e aí nós fomos embora. A Tita Edu e a minha mamãe choravam muito, mas eu não chorei, porque prometi à minha mamãe que ia me comportar.

— Quem era esse homem?

— O tio Carlos. Tinha farda e revólver.

— Sabe o sobrenome dele?

— Gómez. Às vezes ia na casa da Tita Edu, mas ela não gostava dele Minha mamãe também não.

— Fale de sua avozinha. Como ela se chama?

— Eduvigis — respondeu a menina sem vacilar.

— Entendo que é a sogra de Marisol, mãe do marido, Rutilio Díaz — explicou Selena a Frank. — O sobrenome de solteira de Marisol é Andrade. O nome de casada é Marisol Andrade de Díaz. Para facilitar as coisas, aqui puseram Marisol Díaz no relatório de imigração.

— A Tita Edu é muito boazinha. Ela cuidava de mim quando a minha mamãe ia trabalhar. Ela também trabalha — disse Anita.

— No que ela trabalha?

— No anil. Ela sabe tudo de anil e explica para os visitantes e os turistas.

À noite, em seu apartamento, Selena ajudou Frank a completar suas anotações com os detalhes de que conseguia se lembrar sobre a odisseia de Anita e, juntos, planejaram a estratégia legal. Jantaram pizza e ficaram até tarde conversando e ouvindo música latina. Despediram-se depois da meia-noite, ela foi para seu quarto, e ele se deitou no sofá coberto de pelos de gato. Selena dormiu assim que pôs a cabeça no travesseiro, e o gato se acomodou a seu lado, sem desconfiar que Frank se revirava no sofá, pensando nela. Na adolescência, quando se deu conta da atração que exercia, ela tomou consciência de seu poder e, por breve tempo, brincou com aquele dom, mas bem depressa Milosz Dudek apareceu em sua vida, e ela não voltou a utilizá-lo, exceto quando precisava pedir a algum homem um favor para as crianças que defendia.

Separado dela por uma parede fina, Frank se sentia arrastado por uma força misteriosa contra a qual tentava raciocinar, enumerando as diferenças e os obstáculos que o separavam de Selena: a roupa desalinhada, a falta de coqueteria e refinamento, o mau gosto — bastava ver a decoração do apartamento; enfim, a lista era longa, mas ele não chegava a completá-la, porque era assaltado pela visão de seu corpo generoso, seus olhos amáveis, sua voz cadenciada e firme, sua maneira desprendida e alegre de abraçar a vida mesmo em meio a tanta dor alheia. Pensava também na menina Díaz. Tinha o pressentimento de que aquele seria o caso mais importante de sua vida, o único inesquecível. Se errasse com Alperstein, poria a carreira a perder, como avisara Lambert, mas, se errasse com Anita, perderia a paz de espírito.

Anita

Nogales, novembro-dezembro de 2019

A mamãe deve estar bem perto daqui, eu tive essa impressão no telefone. O que você acha, Claudia? Não é verdade que se ouvia bem perto? Eu não chorei, mesmo querendo. Bom, chorei um pouquinho, mas ela não percebeu, porque eu chorei baixinho. Olha, Claudia, se a mamãe pudesse vir buscar a gente, ela viria. O que acontece é que agora não pode. Ela também começou a chorar, por isso eu contei que a gente está legal nesta casa com outras crianças, que não é como a Geladeira, aqui tem pátio e brinquedos e às vezes também sorvete. Pra que que eu ia dizer que a gente não quer comer porque não gosta da comida? Não é que nem a comida da Tita Edu. Melhor a mamãe não saber. A miss Selena disse que vai tentar ligar pra ela de novo um desses dias, mas é difícil, porque mudaram a mamãe pra outro lugar. Não vai adiantar chorar, isso deixa a mamãe mais triste. Quando a gente quiser chorar e não sair a voz para falar com ela, vou pôr a Didi no celular pra ela falar.

Claro que eu me lembro que levaram a mamãe com algemas, mas foi porque sempre fazem assim com as pessoas na Geladeira, é só por um tempo, depois tiram. Não se deve gritar por isso. Eu não pude ver quase nada, mas ouvi os guardas e o barulho das algemas e a mamãe e as outras mulheres da Geladeira gritando e dizendo por que nos tratavam assim, se éramos pessoas decentes, mães com seus filhos, não éramos traficantes nem delinquentes, mas eles nem ligaram. Levaram a mamãe embora, e a única coisa que ela conseguiu me dizer foi pra não me assustar, porque ela ia voltar logo. Não sei se voltou, Claudia, porque tinham acabado de levar ela embora, eles agarraram a gente e enfiaram naquele ônibus.

A miss Selena também me explicou que nós estamos aqui por algum tempo, só isso, enquanto acertam uns papéis da mamãe, e depois vão levar a gente aonde ela está. Aqui estamos bem. Estamos superbem, isso é o que a gente precisa dizer à mamãe quando falar com ela de novo. Está entendendo, Claudia? Não se deve deixar a mamãe preocupada, não se deve dizer que nós estamos tristes e assustadas, nem perguntar por que ela trouxe a gente para o Norte, ela sabe o que faz. Lá em El Salvador a gente estava bem até aparecer aquele Carlos e a mamãe ficar com medo. Eu também quero voltar para a casa da Tita Edu, quero que tudo seja como antes, não quero ficar com pessoas que nós não conhecemos e que nem sequer falam como a gente, mas não podemos ter tudo o que queremos nesta vida.

Quando você tiver vontade de chorar, Claudia, precisa fazer que nem eu, precisa pensar em coisas bonitas, na mamãe quando estava contente e nós dormíamos juntas, na Tita Edu com os cachorros e os passarinhos, na escola onde você pintava com os dedos, em pular corda, brincar de roda, nas festas da rua, com todos os vizinhos, balões e bombinhas, e nos piqueniques na praia. Era tão lindo viver lá, no país da gente! Você se lembra de alguma canção? Eu lembro. Vamos cantar *Pin Pon*. Essa não? Então *Arroz con leche*, dessa você sempre gostou. "*Arroz con leche me quiero casar, con una niñita de la capital...*" Quando me dá vontade de chorar, começo a pensar nas *pupusas* que a Tita Edu fazia de sexta-feira, quando ela me deixava ajudar na cozinha. Sou boa pra amassar; pra isso não preciso enxergar. A gente punha a mesa com ramos e flores do quintal pra esperar a mamãe, que chegava tarde, no ônibus das oito, mas sempre chegava. A Tita Edu não deixava ela fazer nada na casa, porque vinha do trabalho, e o certo era descansar. Na sexta-feira de noite eu fazia massagem nos pés da mamãe enquanto a gente via televisão. Aí ela dormia, e depois a gente precisava contar a novela. No sábado não estava mais cansada e se levantava cedo pra ajudar a Tita Edu a dar um banho no vovozinho e fazer as coisas da casa. Depois a gente ia passear. Não quero que você se esqueça dessas coisas, Claudia, por isso que estou contando, mesmo você já sabendo.

Eu também gosto de pensar nos livros de histórias da escola e naquele livro com fadas e criaturas mágicas da Tita Edu. Ela lia aquele livro pra nós, lembra? Eu também sabia ler, mas não muito depressa, devagar. O melhor era começar uma história, ler só um pouco, continuar com uma página de outra e depois outra, misturando as páginas, assim a história mudava cada vez, e o livro não terminava nunca. Esse era o meu jeito favorito de ler antes do acidente. Agora eu preciso ler com o pensamento na minha cabeça até conseguir uma lupa bem grande, como a que tinha na casa da Tita Edu. Me servia muito na escola. Qualquer dia desses vou falar com a miss Selena pra ver se ela pode conseguir uma lupa para mim; tomara que não seja muito cara.

Já te falei de Azabahar, o reino encantado, onde você e eu somos princesas, a mamãe é rainha e a Tita Edu é a fada madrinha. Não é o céu, é melhor que o céu, porque não precisa morrer pra ir lá. Esse lugar não tem santos nem mártires, só Nossa Senhora da Paz, que é a única que manda. Tem gente viva daquela estrela e visitantes de outros planetas e bichos de todos os tipos, alguns nós conhecemos e outros não existem aqui na Terra. Claro, tem muitos anjos da guarda e anjinhas, porque eles vêm de lá, aquele é o país deles. Tem algumas crianças mortas, mas não muitas, e não se nota, porque é como se estivessem vivas. Azabahar fica numa estrela lá longe. Esta noite, quando ficar escuro e todos estiverem dormindo, vamos para o pátio ver a estrela mais brilhante de todas, aquela é Azabahar.

Não pode chorar porque senão a gente assusta a Didi e aqui eles não querem berreiro de criança. A mamãe ia ficar muito triste se soubesse que nós choramos e não queremos comer. A gente prometeu que ia ser valente. Não fique com medo, essas professoras são boazinhas, não batem na gente nem nada; as crianças também são boazinhas, quase todas são boazinhas, mas nós não vamos brincar com o Rony e o Luisito, esses não são bonzinhos, mas eu sou maior e não vou deixar ninguém amolar a gente; o primeiro que resolver tirar a Didi da gente vai levar um sopapo bem dado e não vou ligar se me castigarem por isso. O Rony é mais nojento que o Luisito. É uma lombriga, assim é que ele se chama, Lombriga. Não vamos nos meter com ele, se ele chegar perto, a gente cospe nele. E o nome verdadeiro do tonto do Luisito é Vômito de Iguana.

Olha, Claudia, hoje de noite, quando você estava dormindo, eu vi a minha anjinha da guarda. Ela é pequenininha. Eu achava que os anjos e as anjinhas eram pessoas muito altas, de camisola e com umas asas grandes de penas, como os da igreja, mas não são assim. São mais ou menos do tamanho de um periquito. A minha anjinha tem asas pequenininhas e transparentes que nem janelas, a gente precisa prestar bastante atenção pra ver, e ela não tem auréola de ouro, tem uma antena na cabeça que termina numa pena só, que nem o rabo do *torogoz*, e com aquilo ela fala, porque não tem boca. Eu consegui ver, porque a gente não olha as anjinhas e os anjos com os olhos, mas com a mente. Não faz mal eu ser um pouco cega, porque, mesmo assim, eu pude ver a anjinha perfeitamente, ela estava do lado da minha cama, bem branquinha, até o cabelo era branco, como nuvem. Eu me lembro das nuvens, não esqueci. No começo eu tive medo, mas, quando ela me disse que era a minha anjinha, o medo foi embora. Ela falou com palavras silenciosas, palavras na minha cabeça, por isso ninguém mais ouviu, as outras crianças continuaram dormindo e você também.

Ela disse que todas as pessoas, todas mesmo, têm seu próprio guardião. Você também tem uma guardiã. Por isso nós temos que rezar todas as noites, é como um cumprimento: "*Anjinha da guarda, doce companhia, não me desampare nem de noite nem de dia.*" Se for menina, tem uma anjinha, se for menino tem um anjo. Os dos meninos também não são como os da igreja, nada de asas grandes, essas coisas, eles são iguais às anjinhas, mas azuis, às vezes são verdes, depende.

Minha anjinha vai levar a gente pra visitar Azabahar. A mamãe vem buscar a gente aqui, mas, se demorar, nós podemos nos encontrar com ela em Azabahar. A próxima vez que a gente for, ela vai estar esperando. Pode ser que esteja invisível, isso às vezes acontece, mas não faz mal, porque de qualquer jeito a gente vai poder sentir a presença dela e falar com ela. Sim, podemos levar a Didi. Mas este é um segredo entre nós duas, nem pense em dizer isso a mais ninguém, porque a anjinha vai ficar zangada e não vai levar a gente pra lugar nenhum. Ela não vai embora pra sempre, Claudia, não seja boba, a anjinha da guarda precisa ficar com a menina que ela cuida, é trabalho dela, não pode ir embora quando lhe dá na telha. A tua anjinha vai ficar com você mesmo zangada, mas, se você guardar segredo, ela vai ficar contente.

Essa história de molhar a cama acontece com quase todas as crianças, você está vendo que aqui muitos molham a cama, até o Lombriga, por isso puseram o plástico debaixo do lençol, pra não encharcar o colchão. Não sei por que é que isso acontece aqui no Norte; lá onde a Tita Edu mora ninguém molhava a cama. Não vão castigar a gente. A miss Selena disse que eles não podem castigar por isso, é um acidente, não é que nem brigar ou fazer pirraça. Eu não vou ficar chateada se te acontecer o acidente na minha cama, o que fazer? É a vida.

A festa de Natal foi legal, pela música e pelos presentes que eles deram. Eu ganhei lápis de cor, mas, como eles não servem pra mim, trocaram por massa de modelar. Com ela eu vou fazer uns ratinhos que vão fazer companhia à Didi. Quer? Toda a criançada ficou contente, ninguém chorou nem brigou. Você ficou chateada porque não fizeram presépio, mas isso não se usa aqui. Eu também sinto falta, mesmo as figuras do presépio que a gente tinha lá em El Salvador sendo tão pequenas, que a gente precisava adivinhar quem era São José e os pastores. É o primeiro Natal que a gente passou sem a mamãe e a Tita Edu. Lembra que no Natal e no Ano Novo a mamãe não trabalhava? Ela tirava férias. A gente ia na praia ver o tio Genaro. Quando a gente voltar pra El Salvador vou pedir ao tio Genaro pra me ensinar a surfar. Acho que pra isso não faz mal eu ser cega. Essa de passar o Natal sem a mamãe e a Tita Edu me deu tristeza, mas passou um pouco quando veio aquele tal de Frank e me disse que ia dar um jeito de reunir a gente com a mamãe o mais depressa possível. Gostei bastante do Frank, apesar de ele falar esquisito. Não sabe muito espanhol. Acho que ele é bonzinho, porque é amigo da miss Selena. Tomara que ele cumpra o que prometeu.

Samuel

Nova Orleans, Londres, Berkeley, 1958-1970

Para alguém que crescera na Inglaterra e tinha vida tão estruturada como Samuel Adler, Nova Orleans foi fascinante. Aquele ano de 1958 na cidade seria memorável, porque em fevereiro nevou pela primeira vez em vinte anos e em março Elvis Presley chegou para rodar um filme. A multidão entusiasmada que se aglomerou na frente do hotel o obrigou a subir pela escada de incêndio e entrar pelo teto. Quando Samuel chegou, meses depois, Elvis ainda era o único assunto de conversas entre os jovens, enquanto os críticos o espinafravam e os mais velhos repetiam o julgamento demolidor de Frank Sinatra: "O Rock and roll é a expressão mais brutal, horrível, desesperada e viciosa que tive a infelicidade de ouvir." Mas, para Samuel, o ídolo do rock, com suas ancas descontroladas, não despertava o menor interesse; ele ia a Nova Orleans por causa do jazz.

Caso tivesse se integrado à comunidade de imigrantes do Caribe, em meio à qual vivia em Londres, o impacto da cidade talvez não fosse tão forte para Samuel, mas a única razão para morar no humilde bairro caribenho era o preço; não podia arcar com nada diferente. Passava como um fantasma pela multidão colorida e barulhenta daquelas ruas sem falar com ninguém, trancava-se para estudar violino sem ouvir a música dos tambores de folha de flandres lá fora nem os rádios dos vizinhos, comprava o essencial no mercado, limitando-se ao indispensável para suas refeições, sempre as mesmas, sem provar as frutas e os vegetais de outros lugares, sem apreciar os pássaros chilreantes em gaiolas de fantasia, as galinhas e os porcos à espera da execução, os peixes e mariscos em grandes cestos, as flores e os artesanatos. Tudo isso ele vivenciou de supetão ao chegar a Nova Orleans. No começo não entendeu muito, porque o idioma da rua era o cajun, dialeto do francês, e teve dificuldade para se adaptar ao sotaque do inglês americano. A cidade lhe deu um tremendo chacoalhão, obrigando-o a deixar de lado melindres e timidez. Se quisesse aprender algo sobre o jazz, precisava mergulhar de cabeça na loucura do Bairro Francês à noite.

Dispunha de dez dias e decidiu aproveitá-los indo fundo na música, não queria perder tempo com turismo nem gastronomia, e teria conseguido se a sorte não pusesse Nadine LeBlanc em seu caminho no primeiro bar em que ele entrou. O local, um dos muitos da rua Bourbon, tinha a mesma decoração do início do século, pouca luz e muito jazz. Estava lotado, muita gente de pé, enquanto alguns garçons circulavam equilibrando bandejas com bebida entre as mesas, todas ocupadas. O cheiro de fumaça, suor e perfume fez Samuel tossir, como se uma mão enluvada lhe apertasse o pescoço. Vários músicos afro-americanos exuberantes tocavam seus instrumentos brincando com as notas, improvisando sozinhos e em conjunto, sem nunca perder o fio. De vez em quando um solista parecia disparar para outra galáxia com o piano ou o saxofone, mas sempre retornava ao conjunto, e depois outro músico o substituía, enquanto o baixo ia marcando inexoravelmente o ritmo, chamando-os de volta à terra. Como faziam aquilo? Samuel sabia que usavam sinais para indicar a entrada e a saída de cada solista ou o fim da execução, mas não conseguiu surpreender nenhum.

Estava absorto na música, seguindo o ritmo, sem se dar conta de que dançava na cadeira, quando uma mulher se sentou ao lado dele e soprou fumaça de cigarro em sua cara. Samuel inclinou-se para trás, incomodado pela interrupção, mas, quando a fumaça se dissipou um pouco, viu que não se tratava da rameira que imaginava, mas de uma garota muito jovem e bonita.

— Oi, Humphrey — cumprimentou-o gritando, para ser ouvida acima da música.

— Meu nome não é Humphrey — respondeu ele.

— Já te disseram que você é igual ao Humphrey Bogart? Parece irmão gêmeo dele. Já trabalhou em algum filme? Bogart é meu ídolo.

— Ele não morreu pouco tempo atrás?

— Continua sendo o meu ídolo. Aqui não dá para conversar, venha comigo, Mister Bogart.

E, tomando sua mão, levantou-o da cadeira. Samuel ainda teve tempo de deixar uma nota na mesa e foi atrás dela.

Lá fora a garota o arrastou para um grupo de jovens que estavam bebendo na rua em meio a uma gentarada de todas as idades, aparências e raças, que ia e vinha com ânimo festivo. A música dos bares e restaurantes misturava-se ao bulício da multidão e das conversas animadas de uma sacada a outra.

— É carnaval? — perguntou Samuel

— O *mardi gras* cai em fevereiro. Isto é só uma noite normal de sexta-feira. Amanhã vai estar mais animado — explicou ela.

— Sou Samuel Adler, muito prazer.

— Meu nome é Nadine — disse ela e, dirigindo-se ao grupo, apresentou-o como seu novo amigo, Mister Bogart.

Nadine LeBlanc pertencia a uma antiga família da cidade, e naquela temporada debutava, depois de ter passado doze anos num rigoroso colégio de freiras, onde, segundo dizia, aprendera a falar francês, mentir, fumar, xingar em duas línguas e fugir para a rua dependurando-se de uma janela do segundo andar. Conforme disse a Samuel, estava aproveitando cada minuto da liberdade que havia conquistado de assalto, diante do desgosto e da impotência dos pais. “Sou independente”, declarou. Na verdade não era, dependia completamente da família, mas já não pedia permissão para nada. Ao terminar o colégio, as moças de sua classe social apresentavam-se em público — bailes, concertos, piqueniques, passeios a cavalo e de barco —, para serem vistas e avaliadas no mercado matrimonial. As famílias se esmeravam em mostrar poder, conexões e bens, enquanto as debutantes se exibiam vestidas na moda, fingindo mais virtude e recato do que em geral tinham. A corrida para conseguir noivo era impiedosa; era preciso casar-se antes dos 25 anos para evitar o estigma de solteirona.

Nadine era exceção entre as senhoritas de sua classe. Antes tinha escandalizado as freiras e sua família e, naquele ano, estava decidida a escandalizar a cidade inteira. A última coisa que desejava era cultivar a reputação de virgem aristocrática para agarrar um marido como seu pai ou seus irmãos e acomodar-se no papel de esposa e mãe. Preferia provocar falatórios. Era de natureza indômita, como ela mesma se descrevia, e muita coisa lhe era perdoada por ser dona de uma simpatia irresistível. Ia a bares, fumava com piteira, bebia como um soldado e dançava em transe, descalça e com o cabelo revolto como uma desvairada, sem consideração pela mistura de repulsa e inveja que provocava nas garotas e nos garotos de sua condição. Diante do espanto da família, gabava-se de ter uma bisavó negra. Isso causava tanto impacto naquela sociedade racista, que saiu publicado na imprensa. Nada disso intimidou Samuel. Ele estava enfeitiçado; aquela jovem era exatamente o oposto dele, rasgava o molde daquilo que se considerava apropriado, para ele era um desafio, uma tentação. A beleza dela também não era convencional: magra e reta como um rapazote, rosto expressivo de feições irregulares, sobrancelhas espessas, cabelo preto, crespo e despenteado, pele bronzeada, sorriso fácil e um pouco torcido, boca grande, pintada de vermelho. Sua característica mais memorável eram os olhos claros, cor de avelã, que a Samuel lembravam olhos de pantera. Nadine tinha o raro instinto da sedução e, apesar da juventude, usava-o com perícia.

— Vou te levar para ouvir o melhor jazz de Nova Orleans — ofereceu, ao saber que esse era o interesse dele.

Não se limitou à música. Com seu grupo de amigos, todos mais novos que Samuel, ricos, incultos e presunçosos, circulou com ele pela vida airada, levou-o a festas particulares, a navegar pelo rio Mississippi no mesmo barco a vapor que, fazia cem anos, servia de cassino, a fumar haxixe e beber uísque ordinário numa ilhota do delta chamada O Templo, onde antigamente os piratas do Caribe arrematavam escravos africanos e o butim de seus assaltos, a percorrer de noite o bairro das casas mal-assombradas, dos zumbis, fantasmas e vampiros, onde as outras moças gritavam de terror, enquanto Nadine se deixava fotografar abraçada a um esqueleto. Levou-o a uma consulta com uma bruxa do Haiti, mulherona impressionante, com turbante e múltiplos colares coloridos, numa casinha do antigo bairro das quadraronas livres, onde havia comércio de encantamentos, adivinhações, feitiços de proteção, filtros de amor e outros de morte. A bruxa salpicou-o com sangue de uma galinha sacrificada, fumigou-o com a fumaça de seu charuto, leu sua sorte com conchas e, por preço razoável, vendeu-lhe um maço de ervas e ossinhos envoltos num pano para evitar mau-olhado.

— Pode fazer uma pergunta, está incluído no preço — disse a mulher, mas Samuel, atordoado pelo álcool, não teve nenhuma ideia.

— Diga se vamos nos casar — perguntou Nadine, aproveitando a oferta.

— Claro que sim, linda.

No quarto dia de farra, Nadine se livrou do grupo e se concentrou em Samuel. Queria ficar sozinha com ele. Aquele homem, tão parecido com seu ator preferido, exercia forte atração sobre ela. Nenhum dos jovens que a cortejavam chegava aos calcanhares dele; pareciam crianças de cueiros, comparados a ele. Sua cultura europeia a deslumbrou e sua tendência ao silêncio a intrigava; imaginou que o inglês guardava segredos, talvez fosse um espião, e a paixão pelo jazz fosse apenas fachada.

Por sua vez, Samuel adivinhou rapidamente que por trás do disfarce de mulher fatal inspirado no cinema, havia uma moça desnorteada, ingênua e mimada, mas, sobretudo, generosa e muito inteligente. Foram invadidos pela paixão urgente do primeiro amor da juventude.

Passados dez dias, Samuel teve de dizer adeus e voltar à Inglaterra. Ao se despedir, pediu-lhe que se casasse com ele.

Samuel e Nadine passaram quase dois anos separados, porque ela precisou esperar a maioridade para se casar. Os pais se negaram a dar o consentimento para o casamento, porque ele não tinha fortuna e posição social — na realidade, era um completo desconhecido —, e ela não estava pronta para assentar a cabeça; provavelmente nunca estaria, disseram. Nadine continuou indo a festas e flertando com seus numerosos pretendentes, mas no mesmo dia do seu aniversário anunciou que ia se reunir a seu namorado na Inglaterra. Os pais ergueram as mãos ao céu. Como ia viver com um homem sem se casar! Ela se despediu alegremente e partiu vestida de terninho e chapéu cor jacinto, que realçava o tom de sua pele, e levando como única bagagem uma mala pequena.

Casaram-se em Londres numa cerimônia civil privada, tendo como únicas testemunhas os Evans, que Samuel apresentou como seus pais espirituais. Só então Nadine ficou sabendo que seu marido não tinha família, que havia ficado órfão na infância e que aquele casal de *quakers* constituía o único afeto estável que tivera. Também descobriu que ele não era inglês, mas judeu da Áustria, e pensou, divertida, na reação de sua família racista e antissemita quando soubesse disso.

Ao tomar a decisão de se casar, Nadine LeBlanc deu mostras de ser mais madura do que suporia qualquer um que a conhecesse. Seu marido ganhava a vida tocando numa orquestra e era professor de música; os dois empregos combinados davam-lhe apenas o suficiente para levar uma existência sem luxo. Em Nova Orleans ficou o enxoval de futura noiva, que tinha sido preparado desde os quinze anos, como se usava ali entre as famílias abastadas: lençóis e toalhas de banho, toalhas de mesa bordadas, roupa íntima de seda e renda, cristais Baccarat, talheres Christofle, porcelana de Limoges e tudo o que era necessário para montar uma casa com refinamento. Suas irmãs poderiam ficar com tudo aquilo, ela não se interessava. Abandonou o passado sem remorso e, contrariando os prognósticos pessimistas de sua família, não sentia falta de ninguém nem de nada. Preparou-se para ser feliz com Samuel Adler e conseguiu.

Da noite para o dia, a louca da casa, como era chamada pelos irmãos e como ela mesma se definia meio de brincadeira e meio a sério, transformou-se em outra pessoa. Em Nova Orleans integrava um clã numeroso, uma rede de conexões familiares e sociais que lhe garantiam bem-estar e proteção. Não pensava em dinheiro, porque sempre o tivera, e era irreverente e descortês, porque estava acostumada aos privilégios de sua classe e gozava de impunidade. Ao se casar, aterrissou na realidade dos imigrantes entre os quais vivia e a enfrentou sem olhar para trás e sem pensar no que havia perdido.

Instalou-se no apartamento deteriorado de Samuel, quarto andar sem elevador, disposta a transformá-lo num lar acolhedor. Cobriu as paredes com papel de parede para tapar a pintura descascada, comprou mantas coloridas para disfarçar a decrepitude do único sofá e alegrar a cama, fez lanternas de papel e dispôs vasos com plantas por todos os lados. Entrosou-se no bairro de antilhanos como se viesse da Jamaica, aprendeu a cozinhar com especiarias que não conhecia e a dançar os ritmos do Caribe em bares e restaurantes locais, onde as pessoas se reuniam à tarde. Pouco depois de chegar, participou de uma manifestação de rua contra a agressão da polícia, que mostrou ser tão racista quanto a americana, onde levou uma cacetada nas costas que a deixou estirada entre uns baldes de lixo. Lá, foi descoberta mais tarde por uns retardatários da manifestação, que voltavam para casa bêbados de tanto gritar e de apanhar da polícia. Levaram-na para uma cafeteria local, que à noite se transformava em bar e pista de dança, e chamaram um vizinho, que era médico. O homem, nascido em Trinidad, tinha os conhecimentos de sua profissão e a sabedoria de um curandeiro. Decretou que não havia ossos quebrados e receitou repouso, gelo e aspirina. "Essa moça é valente e ainda por cima está grávida", anunciou aos curiosos. Isso valeu a Nadine a plena confiança da comunidade. Assim, ela fez muitos amigos, enquanto Samuel, que tinha vivido lá durante vários anos, não tinha conhecido ninguém antes que ela lhe abrisse as portas da vizinhança.

Em pouco tempo, Nadine mudou a vida de Samuel e abrandou seu caráter. Ele compreendeu que nunca poderia prendê-la, que ela lhe escorria entre os dedos como areia, e quis pelo menos acompanhá-la, mas isso também se mostrou impraticável. Por fim, ele desistiu de seguir seus passos e limitou-se a observar admirado o voo elíptico daquela vida, tão diferente da sua. Ela era muito mais rápida que ele, imprevisível, explosiva, apaixonada; tinha uma inteligência intuitiva e certeira que lhe possibilitava chegar a uma conclusão em questão de segundos, enquanto, para Samuel, a mesma coisa exigia semanas de reflexão e planejamento. Ela era gregária, curiosa e ousada; entabulava conversas com estranhos, adotava animais, desaparecia em missões misteriosas, que com o tempo se revelavam aventuras de caridade. Sua alegria compensava a tendência à melancolia do marido; seu espírito livre tumultuava a cautela dele. Samuel tinha certeza de que amava Nadine e precisava dela muito mais do que ela o amava e precisava dele; isso conferia um poder tremendo a ela.

Samuel sempre se lembraria dela como a recém-casada que era em Londres, com a barriga de futura mãe, vestidos de algodão e chinelos, uma bolsa de verduras no braço e o jeito desafiador de andar. Naquelas ruas tão coloridas que nem pareciam inglesas, entre aquela gente morena, com o cheiro do café e o barulho de buzinas, vozes e música, Nadine criou a versão definitiva de si mesma. Decidiu aproveitar a arte e a cultura que Londres oferecia e, com a ajuda do marido, chegou a apreciar música clássica, percorreu os museus e ia ao teatro quando o orçamento permitia ou quando conseguia emprego nos bastidores.

Camille nasceu em 1961, numa clínica do bairro antilhano, onde Nadine compartilhou a experiência de dar à luz com uma imigrante da ilha de Saint Thomas, descendente de escravos. Enquanto Nadine gemia e xingava a plenos pulmões, como havia aprendido com as freiras, a outra cantava hinos cristãos entre as contrações. Depois as duas, cada uma com sua menina recém-nascida nos braços, entraram em acordo para lhes dar o nome Camille, em honra ao pintor impressionista Camille Pissarro, que Nadine admirava quase tanto quanto a Van Gogh. A outra tinha ouvido seu nome na ilha, mas achava que se tratava de um remédio para as lombrigas.

A pequena Camille cresceu como uma extensão de Nadine, que ia para todos os lados com ela num *sling* a tiracolo, depois arrastada. Aprendeu na infância a se comportar como um bichinho amestrado, era capaz de passar horas quieta no canto que a mãe designava, entretida em suas brincadeiras solitárias e, mais tarde, lendo. Como pai, coube a Samuel um papel passivo. Nunca precisou preparar uma mamadeira nem trocar uma fralda; supunha, como todo mundo então, que o marido sustentava, e a mulher cuidava dos filhos. Esse acerto era cômodo para seu caráter solitário; tinha dificuldade para criar conexões, e a filha não era exceção. Só Nadine conseguia penetrar em suas barreiras emocionais. Ele começou a se relacionar com Camille três ou quatro anos depois, quando a menina já raciocinava e tinha senso de humor. Era a filha perfeita para um casal ocupado com seus próprios interesses, não incomodava em nada e era praticamente autossuficiente.

A inspiração para a arte, que haveria de dar fama a Nadine, começou num humilde centro comunitário próximo a seu apartamento, decorado com dezenas de quadros haitianos. Ela passava horas a estudá-los, fotografava-os e copiava-os, fascinada com os temas e as cores. Queria pintar naquele estilo, mas o resultado não era autêntico, apenas vistoso. Era preciso ser do Haiti para pintar daquele modo. Quando Camille foi para o jardim de infância, Nadine se matriculou numa oficina de artesanato, onde viu um tear pela primeira vez. Assim que aprendeu as técnicas fundamentais, lançou-se à criação de tapeçarias cada vez mais audazes nas cores do Haiti, que com o tempo viriam a ser valiosas peças de arte.

Samuel não era homem inclinado à poesia, mas sempre achou que o ofício de tecelã era uma linda metáfora da personalidade de sua mulher, que ia pela vida colecionando e tecendo histórias e gente, assim como colecionava e tecia fios e lãs de todas as cores para suas tapeçarias.

Em 1968, quando Camille tinha sete anos, foi oferecido a Samuel um posto na Orquestra Sinfônica de São Francisco. O casal não precisou pensar muito; o salário era tentador, e eles desejavam mudar de ambiente. Chegaram à Califórnia no mesmo dia em que Robert Kennedy foi morto em Los Angeles e dois meses depois do assassinato de Martin Luther King em Memphis, quando o país era convulsionado por grandes mudanças. Instalaram-se provisoriamente numa pensão do Haight-Ashbury, bairro que tinha sido o paraíso dos hippies, mas estava se aburguesando à medida que os últimos retardatários da cultura das flores se dispersavam.

Ao fazer parte da Sinfônica, Samuel teve a ideia de oferecer ao público, antes de cada apresentação, um bate-papo sobre as peças que seriam executadas, acreditando que, ao conhecerem alguma coisa do concerto e de seu compositor, as pessoas apreciariam melhor o espetáculo. No começo, havia trinta ou quarenta ouvintes, a maioria de cabelos brancos, mas a fama correu e foi chegando mais gente, inclusive muitos jovens, de modo que, com o tempo, metade da plateia se enchia. Aqueles bate-papos, informais, mas muito informativos, ficaram tão populares que seu nome ganhou prestígio. Foi-lhe oferecido um programa semanal na estação de música clássica e, pouco depois, ele foi contratado pela Universidade da Califórnia em Berkeley. As gravações das conferências e dois livros sobre o desenvolvimento da música clássica no Ocidente se transformariam em sua mais constante fonte de renda no futuro. No entanto, na universidade ele não pôde dar vazão à sua grande paixão. O curso que propôs sobre história do jazz foi confiado a um músico afro-americano da Luisiana. Como lhe explicaram amavelmente, um inglês branco não era o professor mais adequado para aquela matéria. Ele se consolava assistindo várias vezes por semana às apresentações de seus clubes favoritos, onde às vezes lhe permitiam improvisar ao piano. Aqueles momentos eram de completa felicidade. Em algumas ocasiões, Nadine o acompanhava, mas seus interesses eram outros.

Enquanto o marido, fiel a seu caráter racional e solitário, se concentrava no trabalho sem prestar muita atenção às circunstâncias em que havia aterrissado, Nadine andava na rua absorvendo a energia turbulenta daquele período, os direitos civis e a luta contra o racismo, a guerra do Vietnã e a conscrição militar, que mandava centenas de milhares de jovens para lutar e morrer por uma causa na qual não acreditavam, e o eco da revolução estudantil exigindo liberdade de expressão, que sacudiu os alicerces da universidade antes de se estender para outros estados. Berkeley era a alma jovem e apaixonada do país. Ela ficou fascinada com a cultura progressista, rebelde, multirracial e artística da cidade, que lhe caía como luva. Deixava Camille na escola e tomava o ônibus para ir passar o dia nos arredores do campus da universidade, cenário de tudo o que lhe interessava. Almoçava em algum dos restaurantes indianos baratos a comida picante que aprendera a apreciar com suas amizades caribenhas de Londres. Assistia a conferências, convivia com os estudantes em passeatas e protestos, shows de rock e teatro improvisado, entrava furtivamente em algumas aulas, pintava cartazes para diferentes causas, desde os trabalhadores agrícolas de César Chávez até os Panteras Negras, convivia com artesãos, mendigos e drogados da Telegraph Avenue.

Justamente nessa época seu pai morreu em Nova Orleans, e ela recebeu uma herança que não esperava. Verificou-se que aquele ramo da família LeBlanc era mais endinheirado do que ela supunha. Sem perguntar nada ao marido, começou a procurar uma casa em Berkeley. Encontrou uma que lhe pareceu ideal e o convenceu de que deviam comprá-la, com o argumento de que seu passado era histórico: tinha sido um bordel, e ali penavam as almas das antigas profissionais do amor. Samuel não se impressionou com aquele pedigree, mas gostou da localização, perto da universidade, e do preço. Era uma pechincha, porque estava em mau estado, mas em seus bons tempos tinha sido uma mansão. Ficava empoleirada num morro, tinha um jardim grande e supunha-se que também tivesse vista panorâmica da baía, mas as árvores, crescendo, a haviam tapado.

A casa dos Adler, construída no começo do século, era de telhas de madeira de sequoia, como outras mansões da cidade, em estilo Rainha Ana, com duas torrinhas, pilares, balaustradas e frisos talhados, janelas originais com vidros biselados, pelos quais escorria água quando chovia, e cinco degraus muito gastos que davam acesso à porta principal. Notava-se o esplendor do passado nos detalhes, desde o mármore manchado dos banheiros e o piso de carvalho em desenho axadrezado, até os empoeirados lustres originais do primeiro andar, que derramavam lágrimas de cristal, muito difíceis de limpar. Por fora, parecia adequada a um filme de terror. Nadine a batizou de "casa assombrada".

— Como nós vamos mobiliar e aquecer esse casarão? — foi a primeira pergunta de Samuel quando a viu.

— Vamos ocupando a casa aos poucos. Por enquanto, vamos manter fechado todo o segundo andar — decidiu Nadine.

Fecharam também a sala de jantar e um dos salões. Nadine percorreu os mercados das pulgas da área da baía e adquiriu de segunda mão o essencial para mobiliar o restante. Com ânimo de voltar às suas tapeçarias, que ela havia abandonado desde a chegada à Califórnia, reservou para si o cômodo com melhor iluminação no primeiro andar e lá instalou seus teares.

No entanto, os quartos vazios foram se enchendo da maneira mais inesperada para Samuel. Um domingo pela manhã, ele se levantou muito cedo para ir correr, como fazia quase todos os dias, e foi à cozinha preparar o café para Nadine, que não conseguia começar a funcionar sem cafeína. Levou um susto monumental ao topar de supetão com um homenzarrão na frente da geladeira. O grito lhe saiu da alma, um bramido de animal. O homem se voltou tranquilamente com a caixa de leite na mão.

— A paz esteja contigo — disse, levando a caixa à boca.

— Quem diabos é você? — conseguiu dizer Samuel, e a voz saiu esganiçada e trêmula.

— Fetu — respondeu o outro, com bigodes de leite.

— Feto?

— Fetu, mano. Esse é meu nome. Namastê.

— O que está fazendo na minha casa? Vou chamar a polícia!

Fetu era de Samoa. Media quase dois metros e pesava mais de 130 quilos, tinha cabelo preto que lhe chegava à metade das costas e exibia um bigode ralo e comprido de mandarim chinês. Vestia uma camiseta de Malcolm X que punha em evidência seus pneus de gordura, sandálias franciscanas e um sarongue. Samuel achou que era saia. Nele, o aspecto ameaçador contradizia a natureza pacífica e relaxada. Nadine o conhecera na Telegraph Avenue, onde Fetu era um dos muitos hippies e desocupados que viviam de brisa, misturados a uns quantos artesãos que tentavam ganhar a vida com o produto de suas mãos. Fetu pertencia à primeira categoria; gabava-se de nunca ter trabalhado, porque estava pouco disposto a contribuir com o capitalismo, mas traficava maconha em pequena escala. Pernoitava com outros como ele num prédio em ruínas, ninho de pobres sem esperança e de drogados, mas precisou sair de lá porque o local ficou infestado de ratazanas, e o serviço de saúde o lacrou. Nadine, que o considerava amigo, convidara-o a ficar em sua casa por alguns dias, uma vez que era inverno e chovia.

Fetu não incomodava muito; andava pela rua ou passava o tempo deitado, cochilando. Não tinha nenhuma urgência em encontrar outro teto, porque a casa assombrada dos Adler era muito cômoda. Tão cômoda, de fato, que ele convidou uma de suas namoradas, mulherzinha etérea, mãe de uma menina da idade de Camille. A mulher acreditava que sua filha era a reencarnação de uma deusa celta e a vestia com túnicas brancas e grinaldas de flores na cabeça. A menina, porém, parecia bastante normal.

— Quanto tempo vão ficar aqui? — perguntou Samuel a Nadine.

— Por quê?

— Aqui não é hotel. Não gosto de gente acampando na sala e devorando tudo o que está na geladeira.

— Como você é burguês, Mister Bogart! Se não quer que eles durmam embaixo, podemos ceder um dos quartos de cima, o que acha? — sugeriu ela.

Assim começou a invasão de hóspedes de Nadine. Nem todos vinham da Telegraph Avenue; houve mais de um que chegou de São Francisco para se instalar lá. Não eram sempre os mesmos, alguns ficavam mais tempo que outros, mas nunca havia menos de dez, sem contar as crianças. Era uma república transitória, sem normas de nenhum tipo, composta de boêmios, artistas frustrados, aspirantes ao estrelato do rock e simplesmente desocupados, quase todos jovens e indigentes. Como nenhum deles contribuía para financiar os gastos e Nadine conseguia vender alguma tapeçaria muito de vez em quando, Samuel arcava com o peso de sustentá-los.

A situação durou meses. Bem depressa, Samuel e Nadine começaram a brigar com tanta ferocidade, que ele preferia ficar o menor tempo possível em casa. Tudo o irritava, o trânsito constante de desconhecidos, a sujeira e a desordem, o cheiro de incenso e marijuana, as guitarras e os pandeiros, a estátua de Ganesha. No dia em que viu um trio fazendo amor na sala, acabou sua paciência.

— Olha o exemplo que estão dando a Camille! Você tem que botar todos esses depravados para fora agora mesmo! — explodiu.

— Não posso, Mister Bogart! Eles não têm para onde ir. Pelo menos precisamos dar um prazo.

— Não quero ver nenhum deles aqui amanhã ou vou desalojá-los com a polícia!

— Esta casa é minha. Fui eu que comprei. Ou se esqueceu?

— Então quem vai embora sou eu.

— Faça o que quiser. De qualquer modo, nosso casamento não vai bem, a gente não está se dando e nenhum dos dois está feliz.

— O que está querendo dizer?

— Vá embora e não volte.

Samuel foi para uma pensão, esperar que os ânimos dos dois esfriasse, era certo que Nadine reconheceria o erro. Duas semanas depois, recebeu a notificação de que ela havia iniciado os trâmites do divórcio, possibilidade que não lhe havia passado pela cabeça. Ele deixou de lado o orgulho e a raiva e voltou à casa assombrada disposto a negociar uma solução digna. Encontrou-a fechada. Havia um bilhete de Nadine na mesa do telefone: "Fui para a Bolívia com Camille. Pode ficar com a casa."

Samuel sempre sonhou em ter uma relação como a de Luke e Lidia Evans, seus pais espirituais. Estes formavam um casal extraordinário. Conheceram-se muito jovens na comunidade *quaker* de Londres e dedicaram-se durante anos a servir ao próximo, especialmente às crianças em guerras. Enquanto Lidia foi capaz, os dois iam fazer o bem sem estardalhaço onde houvesse conflito armado, amparados pela fé e pelo amor. Andavam de mãos dadas, Samuel nunca viu um sem o outro. Quando a doença de Lidia se agravou, Luke dedicou-se a cuidar dela com devoção; nos últimos anos era ele que lhe dava banho, vestia, dava de comer, empurrava a cadeira de rodas. Ambos tinham morrido fazia só dois anos, ela de mal de Parkinson, e ele tirando-se a vida no dia seguinte ao enterro da mulher. Samuel desejaria viver um amor daquela qualidade com Nadine, mas nenhum dos dois tinha o talento necessário para isso.

O exemplo dos Evans era impossível de imitar. O súbito desaparecimento de Nadine e o divórcio foram golpes fatais para o sonho de amor perfeito e consolidaram a solidão que Samuel sempre havia sentido. Ele tentou sair com outras mulheres, mas era incapaz de começar uma conversa que não o levasse em poucos minutos a falar de Nadine. Na universidade sobravam oportunidades, embora uma das normas tácitas fosse não se envolver com alunas. Faltavam anos para que aquela norma se transformasse em lei. Muitas vezes as moças se ofereciam descaradamente aos professores, algumas para obter favores, outras para provar seu poder e no mínimo por presunção. Samuel sabia disso, tinha experimentado, mas não havia caído na armadilha; preocupava-se mais com o ridículo do que com o escândalo. Tinha visto certos colegas sucumbir à própria vaidade, convencidos de que mereciam o amor de jovens com metade da idade deles. Por cautela, recebia as estudantes com a porta de sua sala escancarada e evitava familiaridades, o que acentuou sua reputação de britânico distante e pouco amável. Sua vida social reduziu-se a quase zero sem Nadine, porque era ela que cultivava amizades, enquanto ele se limitava a acompanhá-la, com sua boa aparência, modos impecáveis, ar distinto e talento para ouvir.

Teve algumas breves aventuras puramente sexuais, que se mostraram insatisfatórias e se estenderam demais, porque ele não sabia como terminar sem ofender a outra pessoa. Isso confirmou seu complexo de ser um amante muito medíocre; o prazer que havia compartilhado com Nadine era somente obra dela.

Algum tempo depois, ele recebeu a primeira notícia de Nadine; ela dizia que já não estava na Bolívia, que tinha ido para a Guatemala, onde existia uma maravilhosa tradição de teares. Incluiu no envelope várias fotografias de Camille, bronzeada, magra, descalça, desgrenhada e feliz. Não precisava ir à escola, porque estava aprendendo muito em contato com a natureza e com os nativos no lago Atitlán, declarou Nadine. Também havia uma foto dela mesma rodeada por várias mulheres em trajes típicos e outra em que aparecia de mãos dadas com um homem de bermudas. Atrás da foto escreveu o nome dele: Orlando, antropólogo argentino.

Samuel pediu licença não remunerada na universidade e na Sinfônica, fez a mala, fechou a casa assombrada, despediu-se das almas penadas e partiu para a Guatemala.

Anita

Nogales, fevereiro de 2020

Você não conseguiu ver a tua anjinha da guarda porque está sempre dormindo quando ela aparece. Eu acordo com o barulho do voo dela, que é que nem barulho de limpar vidro. A minha anjinha eu vejo quase todas as noites, estamos ficando amigas.

Te contei que ela é branca como uma nuvem? O que me lembro das nuvens é que mudavam de forma no céu, às vezes pareciam um bicho, ou um trem ou algodão doce, como aquele que era vendido no circo. Acho que você não se lembra do circo, Claudia, porque era muito pequena quando nós fomos. Isso foi antes do acidente. Tinha palhaço se dando bofetada e atirando água um no outro com revólver de brinquedo, trapezista voando lá em cima que nem passarinho e seis cachorrinhos dançando em duas patas. A mamãe disse que os melhores circos estão aqui, no Norte. Um dia ela vai levar a gente para ver o maior de todos, tem até elefante. Quem sabe, quando ela levar a gente nesse circo, eu consigo enxergar um pouco mais. As anjinhas também mudam de forma, como as nuvens, às vezes parecem mulheres pequenininhas, às vezes parecem frangos ou velas de barco, mas de qualquer jeito eu as reconheço pela voz na minha cabeça.

Parece boa ideia levar a miss Selena quando a gente for a Azabahar, mas não vou dizer nada ainda, preciso esperar a minha anjinha conseguir permissão. Frank eu não vou convidar; primeiro ele precisa cumprir o que prometeu, tem que reunir a gente com a mamãe. Azabahar fica muito longe, mas as anjinhas e os anjos fecham os olhos, dizem umas palavras mágicas e, quando abrem os olhos, já estão lá. Vão levar a gente assim. Agora nós precisamos comer, Claudia. Não gostamos, mas é pizza. A miss Selena disse que não existe nem uma única criança no mundo que não goste de pizza. Aqui não há *pupusas*, mas, quando fazem comida mexicana, às vezes eu como. As *quesadillas* são mais ou menos boas. Vou perguntar se há *pupusas* em Azabahar, certeza que sim.

Tomara que em Azabahar haja árvores e plantas, isso me interessa mais que as *pupusas*. Eu me lembro do verde. É a melhor cor, porque conecta tudo; isso quem me ensinou foi a mamãe. Aqui só há cactos, que não dão nem sombra e têm espinho e picam que nem abelha, melhor não chegar perto. A miss Selena me contou que existem montanhas fantásticas, vermelhas como morango, roxas como beterraba, alaranjadas como manga. Gostaria de ver. Vai me trazer a lupa grande que eu preciso, e não tem que pagar nada, também vai me emprestar um livro das paisagens do Arizona e do cânion do Colorado, que é uma das maravilhas do mundo. Com a lupa vou poder olhar um pouco disso. A miss Selena é boazinha com a gente, é boazinha até com a Didi, quer pôr cabelo nela, porque já está quase careca, e fazer um vestido novo pra ela, mas você não larga ela por nada. Pelo menos vamos lavar a Didi, Claudia, está cheirando mal. Do jeito que está não pode ir a Azabahar, o que é que vão pensar de nós, que nós somos umas mendigas.

Você viu o que aconteceu, Claudia. O Lombriga me atacou primeiro e eu me defendi, não ia deixar aquele moleque me bater. É um chato, um abusado, sempre bate na gente quando ninguém está olhando, mas eu não tenho medo. Não foi culpa minha se saiu sangue do nariz dele. Eu ia bater na barriga, mas ele se mexeu, e, como eu não enxergo bem, o sapato deu em cheio na cara. Que sangueira! Não é justo me castigarem, só eu, e colocarem gelo nele e darem sorvete pra ele parar de berrar. A miss Selena chegou depois e me tirou do castigo.

Eu não te deixei sozinha porque queria, Claudia, eles me levaram para o escritório e me puseram num canto olhando pra parede. Nem liguei, porque olhar pra cá ou pra lá dá na mesma. Eu expliquei que o Lombriga começou a briga e me mandaram calar a boca, não podia falar, estava de castigo e eles me achavam agressiva. E o Lombriga? Aquele moleque, sim, que é agressivo. Você sabe que eu não sou de berrar, mas quase me afoguei de tanta raiva, e, se a miss Selena não chega e põe as coisas no lugar, eu morria. Muita gente morre afogada com água, mas também existe quem morre afogado engolindo ar. Demorou bastante tempo para eu me acalmar. Se eu tivesse feito aquele berreiro na casa da Tita Edu, ela tinha enfiado a minha cabeça num balde de água fria e pronto, santo remédio, mas por sorte aqui isso é proibido, se alguém faz isso com uma criança, vai preso. Por que será? Muito pior é pôr uma criança na Geladeira ou deixar ela sem a mãe, não é, Claudia?

Quando eu estava no escritório, ouvi uma professora dizer à outra que a gente ia ser transferida para um lar adotivo, porque estamos aqui mais tempo que o normal. Eu não me atrevi a perguntar o que é isso, porque elas iam perceber que eu estava ouvindo e na certa iam me dar castigo em dobro por bisbilhotar. Tenho bom ouvido, tinha já antes do acidente e agora ele me serve para saber o que as pessoas estão falando, se bem que às vezes eu não entendo bem inglês. Aquelas professoras falavam em espanhol. Não me soou bem essa de lar adotivo. Eu não quero que ninguém me adote. Não sou órfã.

O que mais me deixa preocupada é você se esquecer da mamãe, isso às vezes acontece com as crianças pequenas. Além disso, eu vou ficar falando da mamãe, e, se você fechar os olhos e prestar atenção no que eu digo, vai ser como se enxergasse. A mamãe é linda. Antes tinha o cabelo comprido com luzes loiras, bem bonito, e eu escovava, disso ela gostava muito, mas na viagem ela teve que cortar o cabelo, curto, muito curto. Precisava cortar o meu também, porque assim não embaraça. Imagina só ir no trem de cabelo comprido, ou então andar pelo deserto, como nós andamos, com aquele calor horrível. Não faz mal, cabelo cresce. O meu já está quase tapando as orelhas, mas está muito desigual. A miss Selena vai me levar na cabeleireira um dia desses, se é que vão me dar licença de sair. Eu expliquei que a mamãe cortou o cabelo de nós duas. Isso foi no México, quando a gente ia subir no trem, para os homens não ficarem olhando pra ela e não nos incomodarem. Ela disse que ia me chamar de filho, e eu tinha que dizer papai, mas eu me esquecia e saía mamãe. Na certa, quando vier, não vai estar tão rapada. A mamãe é alegre, ri muito, e, quando ri, a gente nota que os dentes da frente são um pouco separados, bom, isso de rir foi antes do Carlos. Ela gosta de brincar e gosta de música, lembra que a gente dançava de tudo com ela, até *swish*, e às vezes a Tita Edu tirava os chinelos e dançava também, se bem que a dela era só salsa, nada mais.

Selena

Los Angeles, El Salvador, fevereiro de 2020

As Durán formavam uma família de mulheres sozinhas, desde a primeira da estirpe, que, aos 84 anos, deformada pela artrite e um pouco demente, continuava sendo a matriarca de sua pequena tribo. A anciã se gabava de ter sido uma das aguerridas adelitas que lutaram no exército de Pancho Villa, mas nos tempos da revolução mexicana ela ainda não tinha nascido. Na juventude media 1,45m, mas, com o passar dos anos, havia encolhido; era incansável, mandona e tagarela. A história real era que chegou aos Estados Unidos em 1954, atravessando a pé o deserto do Arizona, com um bebê nos braços, pobre de pobreza absoluta, semianalfabeta, sem documentos e sem falar uma palavra de inglês. Tinha dezoito anos. Começou colhendo laranja e alface no sul da Califórnia, com a menina amarrada às costas. Ganhava menos de um dólar por hora e, tal como quase todos os imigrantes que lavravam a terra para pôr comida em outras mesas, ela passava fome. Dez anos depois, com dor crônica nas costas por causa do trabalho pesado e com a pele curtida como sola pelo sol, conseguiu emprego numa fábrica de conservas, onde trabalhou até que a filha e a neta a obrigassem a aposentar-se. Com a idade, sua imaginação disparou e, quando Frank Angileri a conheceu, ela parecia uma criança de oito anos, fantasiosa e desnutrida. Ao lado dela, Selena, a bisneta, era gigantesca.

Frank chegou para visitá-la com um buquê de flores e uma garrafa do melhor vinho do porto que encontrou, porque Selena lhe dissera que a bisavó terminava cada dia com um rosário recitado a toda velocidade e um cálice dessa bebida.

— Como é que o teu amiguinho se chama? — perguntou a anciã a Selena pela terceira vez.

— A senhora não está senil, bisa. Por que está sempre perguntando a mesma coisa?

— Pra te aporrinhar, ora, menina — riu a outra, mastigando o ar com os poucos dentes que lhe restavam.

— Foi o que imaginei. Este é Frank Angileri, o advogado que está representando a menina cega que foi separada da mãe.

— Ah! Anita Díaz, coitadinha...

— Ela mesma, bisa. Está vendo como tem a memória intacta?

— Eu me lembro do que quero lembrar e não me lembro do que os outros querem que eu lembre. O que acha desta família, rapaz? — perguntou ao advogado.

— Estou impressionado. Quatro gerações de...

— São cinco. Faltam meus tataranetos — interrompeu a matriarca. — São os primeiros varões que nascem nesta família. Eu tive a Dora com dezoito anos. Nós, Durán, engravidamos novas.

— Porque não param para pensar — brincou Selena.

— E você, de tanto pensar, vai chegar à menopausa sem filhos — admoestou a bisavó.

— Não se preocupe. Qualquer dia desses me caso — respondeu Selena.

— Você acha que tem de se casar para isso? Eu era virgem quando tive a Dora.

— Virgem, a senhora disse, bisa?

— Sim, como a Virgem de Guadalupe e todas as outras virgens do calendário.

— A senhora sabe que o meu noivo é muito certinho, não vai ter filhos fora do casamento — declarou Selena.

— E você, rapaz, o que opina sobre isso de ter filhos? — perguntou a anciã a Frank de supetão.

— Chega, mãe, deixe o advogado em paz — interrompeu a filha Dora da cozinha, onde estava preparando o almoço com a mãe de Selena.

Naquele domingo, Frank chegara de São Francisco pela manhã para ver Selena; voltaria no voo das seis da tarde. Viajar durante o dia para Los Angeles tinha se tornado rotina nos últimos meses, embora em geral ele fosse com o jato de Alperstein. Uma limusine o pegava em casa para levá-lo ao aeroporto, e outra o esperava em Los Angeles para levá-lo à mansão do magnata em Paradise Cove Bluffs, mil metros quadrados de construção no meio de um jardim versalhesco, com praia privada. O caso Alperstein se resolvera na semana anterior com dinheiro. Muito dinheiro. O réu não precisou enfrentar um júri nem terminar os dias atrás das grades, mas ninguém pôde salvar sua reputação; a imprensa se esbaldou com os detalhes do escândalo. Para Frank isso compensou um pouco o imenso desagrado de defender aquele homem, que uma vez mais comprava a impunidade. No escritório, ele foi felicitado, recebeu sua comissão e ouviu o anúncio de que em breve teria uma sala de esquina com duas janelas no andar superior. A mãe, em compensação, voltou a repreendê-lo no telefone por sua falta de escrúpulos para defender um criminoso.

Selena ia passar uns dias com a família em Los Angeles e, como São Francisco ficava a apenas uma hora de avião, sugeriu a Frank que eles se encontrassem e, de passagem, ela lhe apresentaria sua avó vidente, já que ele tinha tanta vontade de conhecê-la. Não haviam se visto desde o fim de dezembro, no albergue de Nogales onde estava Anita, mas comunicavam-se com frequência. Desde aquele encontro, tinham desenvolvido uma boa amizade, que no começo se baseava na obtenção de asilo para a menina, mas logo foi abarcando a totalidade da vida de ambos. Frank se dava bem com as mulheres, sabia tratá-las, coisa que aprendera com as irmãs na infância. Parecia-lhe difícil definir o que sentia por Selena. Valorizava aquela amizade, que ele não queria pôr em risco com um passo em falso, mas tinha de admitir que seu desejo de estar em permanente contato com ela se parecia demais com paixão.

Para Selena, que crescera e trabalhava num ambiente quase exclusivamente feminino, a relação com Frank era uma novidade. O único homem que ela conhecia a fundo era o noivo, e o plano dos dois era casarem-se em abril. Ou melhor, Milosz e as mulheres Durán faziam planos, enquanto ela esperava abril com um bolo no estômago. Estava com Milosz havia oito anos, embora os dois tivessem pouca coisa em comum e não comungassem certos aspectos da vida, evitando alguns assuntos, como política, sobre a qual tinham posições opostas, ou imigração, sobre a qual não chegavam a um acordo. Enquanto ela trabalhava com refugiados, ele afirmava que cruzar a fronteira ilegalmente era um crime que precisava ser castigado com todo o rigor da lei, e que terminar a construção do muro na fronteira com o México, como insistia o presidente, era fundamental para a segurança nacional; que sentido tinha travar guerras em países remotos, enquanto hordas de ilegais estavam invadindo o próprio país? Milosz não aprovava o emprego de Selena, e ela não tinha o menor interesse no dele. Ele também não aprovava o fato de ela viver no Arizona, mas imaginava que era uma situação temporária, até se casarem. Tinha total certeza de seu amor por Selena e pressupunha que ela o retribuía em igual medida. Não levava em conta que toda vez que se mencionava o casório próximo, ela mudava de assunto.

A ocupação escolhida por Milosz era adequada para alguém com seu temperamento. Exigia atenção, disciplina, paciência, resistência física, respeito aos próprios limites, prudência, conhecimento profundo do veículo e do mapa, capacidade de suportar a solidão e o tédio. Um motorista sem vícios podia dar uma vida boa à família, poupar, investir e aposentar-se relativamente cedo, e então dar início a uma segunda carreira. Esse era o plano dele; não pensava em passar o resto da vida atrás do volante de um caminhão. Enquanto isso, entretinha-se com rádio, podcasts e audiolivros; desse modo, estava estudando espanhol, a pedido de Selena. Não bebia nem usava estimulantes para ficar acordado, como era frequente entre caminhoneiros. Cuidava-se. Fazia vários anos que dirigia e mantinha-se com o mesmo peso que tinha ao sair do exército.

Nele, Selena gostava do corpo musculoso, dos olhos claros, dos pômulos pronunciados, da pele bronzeada, das mãos grandes e calosas, do cheiro, do tom de voz. Desejava-o. Sentia atração sobretudo pelo que percebia como as melhores virtudes masculinas: fortaleza, coragem, responsabilidade. O hábito imutável que criavam juntos dava-lhe estabilidade, a sensação de ser amada e protegida, mas nada disso aplacava suas dúvidas. Dúvidas que vinham aumentando desde dezembro do ano anterior, quando ela conhecera Frank Angileri. Sabia que, para Milosz, o futuro sem ela era inconcebível. Também sabia que, para ela, o futuro com ele era inquietante. Não era tentada pela casa ideal, pelos filhos e pela vida doméstica confortável com que ele sonhava. Precisava tomar logo uma decisão, Milosz não merecia ser deixado naquela ansiedade. Faltava pouco para abril.

Segundo as mulheres Durán, o casal tinha um ajuste perfeito: muito afeto, pouca paixão e cada um com seu espaço. Selena temia que aquele espaço desaparecesse quando se casassem.

Dora Durán, a célebre avó de Selena, tinha sessenta e seis anos e continuava apegada ao estilo de quatro décadas antes. Por curiosidade, Frank fez uma busca na internet e encontrou uma página na web, entrevistas e vídeos sobre seus acertos de vidente. Ela tingia o cabelo de preto e usava um excesso de pintura nos olhos; como contraste, a mãe de Selena, vinte anos mais nova, andava de jeans, suéter solto e sem maquiagem. A imponente presença de Dora tornava sua filha tão invisível que Frank não guardou seu nome, e Selena precisou repeti-lo várias vezes: Casandra. O pai de Selena, muito mais velho que a mulher, morrera quando Selena e sua irmã Leila tinham quatro e seis anos, respectivamente. Casandra guardou luto durante dois meses e depois se matriculou na universidade, onde recebeu o diploma de técnica superior em laboratório clínico. Desde então era o sustentáculo da família; pagava as contas, mas tinha muito pouco poder de decisão.

A família Durán — bisavó, Dora, Casandra e Selena — lembrava a Frank a sua própria família, com a diferença de serem todas mulheres. Tratavam-se entre si com a mesma ternura brusca dos Angileri, a mesma lealdade incondicional, confiança absoluta e nenhum sentimentalismo. As Durán, sendo diferentes das mulheres Angileri, tinham características em comum: eram fortes, práticas e diretas, como sua mãe e suas irmãs, e, também como elas, eram pródigas em hospitalidade. A casa das Durán em Los Angeles se parecia com a de seus pais no Brooklyn: pequena, abarrotada de móveis e objetos baratos, aconchegante, com cheiro de comida e café. Naquela mesa, compartilhando uma profusão de pratos feitos em casa, bebendo cerveja e tequila, enquanto todas falavam ao mesmo tempo, brincando e rindo, ele se sentiu totalmente à vontade. Conhecia as chaves da convivência daquelas mulheres.

A ideia de ir a El Salvador em busca de Marisol Díaz foi de Frank. Não confessaria a ninguém, mas a ideia lhe ocorreu quando soube que Dora Durán não havia recebido nenhuma mensagem dela do além. Com a esperança de que a avó pudesse ajudá-la a localizar Marisol, Selena lhe mostrara a foto de Marisol que estava no relatório do oficial de asilo e outras de Anita, mas Dora quis conhecer pessoalmente a menina. Selena levou-a ao Arizona e conseguiu permissão para ela entrar no albergue, embora as visitas fossem proibidas, e Dora pôde passar um tempo com Anita. Ficou muito impressionada.

— Acho que a Anita tem um dom, mas não é como o meu. Talvez ele se manifeste no futuro, quando ela for um pouco maior — disse a Selena depois da visita.

— Por que acha isso, vovó?

— Anita pode ver o invisível, pode imaginar o futuro, pode adivinhar o que acontecerá.

— Ela vive em seu próprio mundo, fala sozinha, tem muita imaginação — explicou Selena.

— Acho que se transporta para outra dimensão. Senti esse poder. Quando peguei suas mãos, ela me transmitiu sua força.

— Sentiu alguma mensagem de Marisol?

— Não. Espero que ela nunca precise se comunicar comigo, mas, se acontecer, estarei muito atenta.

Dora Durán, a menininha de três meses que chegou aos Estados Unidos atravessando o deserto, envolta no xale da mãe, começou a adquirir reputação de vidente por volta dos treze anos. Segundo a bisavó de Selena, aquele talento existia nas mulheres de sua estirpe desde a época dos conquistadores espanhóis do México, mas poucas tiveram a oportunidade de desenvolvê-lo. Em seus desvarios, a anciã contava que ela mesma vivia em diálogo constante com almas ausentes, mas estas não vinham para perturbá-la com seus problemas, como ocorria com Dora, mas para diverti-la com bisbilhotices.

— Com a primeira menstruação, o cérebro da Dorita parou — contou a Frank. — Disseram que era meningite. Ressuscitou, mas com a mente exaltada e desde aquela época ela tem um pé aqui e outro no além.

Frank Angileri não entendeu, porque seu espanhol de escola não dava para assuntos paranormais, mas Selena traduziu.

— Minha bisavó tem diferentes teorias sobre isso — acrescentou. — Por exemplo, que entrou um escorpião no ouvido da minha avó ou que ela comeu cogumelos envenenados de um cemitério.

— E qual é sua teoria? — perguntou Frank a Dora.

— Nenhuma. Na realidade, eu preferia que os mortos me deixassem em paz — respondeu Dora.

— Algumas pessoas deixam questões pendentes neste mundo e se comunicam com a Dorita para resolvê-las — interveio a bisavó. — Por isso os Kennedy vêm de vez em quando.

— Nunca vieram, bisa, de onde a senhora tirou isso? — interrompeu Selena.

— Os que vão embora tranquilos não vêm incomodar. Os sujeitos que mataram os Kennedy eram mandados, os verdadeiros assassinos nunca pagaram pelo crime. Os Kennedy querem justiça — insistiu a bisavó.

— Isso faz mais de meio século, bisa. Acho que estão todos mortos.

— Ainda bem. Devem estar ardendo no inferno — replicou a outra.

— Se Marisol Díaz tivesse sofrido um acidente ou morte violenta, não estaria tranquila, certo? — deduziu Frank, corando, porque se sentia um crédulo tonto; o que diriam os colegas se o ouvissem.

— Exatamente, jovem — assentiu a anciã.

— Não se pode afirmar — rebateu Dora, que estava trazendo as travessas da cozinha. — Se todos os mortos inquietos falassem comigo, eu estaria doida varrida.

Não era doida nem charlatã, como tantos pretensos esotéricos que proliferavam por aí. Dora poderia ter prosperado consolando parentes com mensagens de além-túmulo, sobravam interessados nisso, mas tinha um respeito enorme pelo dom divino que recebera e acreditava que cobrar por seus serviços era pecado; Deus o dera para ela ajudar e servir, e não para benefício pessoal. Ganhara a vida como professora, mas desde que se aposentara aumentava sua magra pensão fazendo bolos de aniversário, casamentos e festas de debutantes, verdadeiras obras de arte que ela coroava com figuras de açúcar idênticas aos fregueses. Baseava-se em fotografias para copiar os noivos ou as moças com seus vestidos de princesa. Na China faziam o mesmo, mas nunca ficavam iguais e, além disso, eram de gesso. As suas eram comestíveis, como explicou a Frank.

— Ontem passei o dia preparando uma coleção de cachorrinhos de marzipã para o aniversário de um poodle de Beverly Hills. Vai ser comemorado com outros cachorros no hotel Four Seasons, imagine só o que a gente rica faz com o dinheiro — disse.

Naquela tarde, depois de um contundente almoço mexicano, que lhe caiu no estômago como pedra, Frank se despediu de Selena no quintal da casa, onde a bisavó criava coelhos como mascotes, uns bichinhos redondos e orelhudos. Frank se absteve de mencionar a receita de coelho com alecrim e cogumelos de sua mãe.

— Vou tirar uma semana de férias. Ganhei esse direito depois de trabalhar como louco no caso Alperstein. O que acha de irmos a El Salvador procurar Marisol?

— Você e eu? — perguntou Selena, surpresa.

— Não posso ir sozinho. Você conhece o caso de cor e salteado e fala espanhol. Já verificamos que ela não está nos acampamentos de refugiados do outro lado da fronteira. Não vamos perder nada se formos procurar no seu país. Vamos, Selena, é a atitude mais prática que podemos tomar.

— Não sei, Frank...

— Viagem grátis para você. Estou convidando.

— Por quê?

— Porque tenho tanto interesse quanto você em ajudar Anita. Em El Salvador tenho um amigo na embaixada americana, ele pode nos ajudar. Diga que sim, vamos...

Selena pensou na reação de Milosz se soubesse que sua noiva ia viajar com outro homem. Talvez aquela fosse uma das exigências de seu trabalho que não seria indispensável explicar. Afirmaria a necessidade da viagem, mas sem mencionar Frank e muito menos que ele pagaria seus gastos. Também não diria nada à família, porque esta se colocaria ao lado de Milosz; nisso não podia contar com a solidariedade das Durán.

Viajaram a São Salvador num voo da Avianca na segunda segunda-feira de fevereiro, com passagens de volta para o sábado seguinte. Levavam bagagem mínima, uma cópia do relatório de Marisol, obtido por Selena com um oficial de asilo que tinha uma queda por ela, e tudo o que tinham conseguido de informações com Anita. Para Frank era uma aventura. Antes de conhecer Selena, sabia muito pouco da América Central; era um lugar remoto e misterioso no mapa. As notícias daquela região eram quase sempre ruins: revoluções, guerrilha, ditaduras sangrentas, chacinas, guerra civil, corrupção, tráfico humano e de drogas e, em anos recentes, quadrilhas de criminosos como a *mara* Salvatrucha. Não fazia distinção entre os vários países, todos lhe pareciam mais ou menos iguais, com exceção da Costa Rica, onde havia passado férias, surfando em águas cristalinas e fotografando pelicanos e tartarugas. Era um país que havia abolido as forças armadas em 1948 e passava sete décadas de prosperidade e paz. Aquele paraíso estava se enchendo de americanos, a maioria aposentados. Ao assumir a defesa de Anita Díaz, Frank dedicou-se a estudar a história e a política da região de onde provinham os refugiados e imigrantes com que Selena tratava.

Além da internet e da imprensa, ele contava com o caudal de informações que Selena lhe fornecia. Entendeu as razões pelas quais tanta gente, inclusive crianças sozinhas, empreendiam a perigosa viagem para o Norte em busca de asilo nos Estados Unidos. Os riscos do caminho e a hostilidade com que eram rechaçados não bastavam para dissuadi-los, pois eram piores a pobreza irremediável e a violência impune das quais fugiam. “Ninguém está seguro neste mundo, Frank. Qualquer um de nós poderia se ver nessa situação”, dissera Selena, mas ele não conseguia imaginar que alguém de seu entorno tivesse aquele destino. Quando comentou com a mãe, ela lhe lembrou que seu pai e seus avós tinham emigrado para escapar da máfia na Sicília.

O aeroporto de São Salvador era moderno, com abundantes lojas finas e de artesanato. Havia tantos viajantes, que demoraram um bom tempo para receberem o carimbo no passaporte no guichê de imigração. O voo de quase cinco horas pareceu-lhes longo, e eles estavam cansados, mas em vez de irem diretamente para o hotel, decidiram matar a fome com as famosas *pupusas* de Olocuilta, de que Selena tinha ouvido falar. Em Frank, o nome daquele alimento causou desconfiança imediata, mas ele decidiu esquecer as precauções dietéticas durante aqueles dias; não podia ser visto como um fracote por Selena. Fora das dependências do aeroporto receberam de chofre o impacto do clima quente.

— Isto aqui é um banho turco! — exclamou Frank.

— Respire. A gente se acostuma com tudo — respondeu ela, ofegante.

Tomaram um táxi, e vinte minutos depois estavam diante de uma chapa de cerâmica preta sobre fogo vivo, onde duas senhoras de avental azul preparavam manualmente as tortilhas de farinha de arroz e milho. Compraram duas *pupusas locas*, do tamanho de um prato, recheadas com queijo, feijão e torresmo, regadas com cervejas. Assim se iniciaram no país.

Frank havia insistido para ficarem num bom hotel, ele pagaria, assim como se encarregara das passagens de avião em classe executiva, e Selena aceitou sem protestar, porque era óbvio para ambos que ele tinha muito mais recursos do que ela. Tinham ido dormir muito tarde, cada um em seu quarto, e dormiram mal, ele pensando na proximidade de Selena, ela pensando que só dispunham de quatro dias para encontrar Marisol. Nas horas que haviam passado fora, o calor úmido lhes causara erupções na pele e inchaço nas mãos e nos pés. Em contrapartida, no ar-condicionado do hotel tiritavam de frio.

Anita se lembrava mais da avó, com quem tinha vivido desde que nasceu, do que da mãe, mas as pistas que lhes dera eram vagas.

— Sabemos o nome da avó e que trabalhava no anil — resumiu Frank no dia seguinte, quando estavam tomando o café da manhã no terraço.

— Anita mencionou que a avó atende visitantes e turistas. Podemos começar pelo Parque Arqueológico Casa Blanca, lá há um museu e lojas de anil. Fica em Chalchuapa — sugeriu Selena.

— A que distância daqui?

— Perguntei ao recepcionista do hotel; ele disse que uma hora e vinte minutos de ônibus, mais ou menos.

— Precisamos de transporte para nos deslocarmos, vamos alugar um carro — decidiu Frank.

— O trânsito é imprevisível, Frank. Melhor contratarmos um táxi rosa que nos acompanhe o dia inteiro. Isso o recepcionista também recomendou.

— Táxi rosa?

— São dirigidos por mulheres e para mulheres. Muito seguros.

Precisaram mostrar os passaportes à motorista para poderem ser levados, porque Frank não era um passageiro habitual. O automóvel era forrado de cor-de-rosa e contava com espelho e artigos de beleza no assento traseiro para retocar a maquiagem. Lola, a motorista, de uniforme branco, baixa na estatura, rotunda nas formas, tagarela e simpática, acabou sendo uma grande fonte de informações. Durante o percurso, deu-lhes uma verdadeira aula sobre política local, o novo presidente, a praga de gafanhotos, as *maras* e as precauções básicas que eles deveriam tomar.

— Fala-se muito da insegurança, é a única coisa que a imprensa publica, por isso parece que estamos nas mãos das *maras* e dos traficantes, mas isso é exagero — disse Lola. — Aqui vivemos tranquilos e passamos bem. Somos alegres, gostamos de dançar e cantar. Ajudamo-nos uns aos outros e cuidamos da família. Eu, por exemplo, cozinho aos domingos para a minha numerosa família, somos muito unidos. É uma pena meu país ter má fama lá fora. Qualquer salvadorenho sabe cuidar de si, sabe aonde pode ir e a que horas, sabe evitar lugares perigosos e gente suspeita. Comigo vocês estão seguros, conheço este país como a palma da minha mão.

Quando soube que eles se interessavam pelo anil, lançou-se a outra aula sobre o "ouro azul" que, conhecido desde o século XVI, perdeu valor quando foram inventados os corantes sintéticos, mas era uma das tradições artísticas do país. Disso, ela derivou para as pirâmides pré-colombianas e insistiu em mostrá-las, mas eles não tinham tempo para fazer turismo e foram diretamente ao museu, construção colonial no meio de um parque.

No ateliê de anil, onde as mulheres preparavam o corante natural com os métodos antigos e vendiam artigos em todos os tons de azul, dona Eduvigis era bem conhecida. Trabalhava lá fazia trinta anos. Não estava naquela manhã, mas eles obtiveram seu endereço, e Lola não demorou a localizá-lo num bairro operário de Chalchuapa.

A avó de Anita falou com eles do quintal, com desconfiança e rodeada por vários cachorros que latiam, de trás de uma grade coroada por arame farpado, mas, quando Selena lhe explicou que conhecia sua neta e lhe mostrou uma fotografia, ela abriu a porta e os convidou a entrar, muito comovida. Os cachorros os seguiram abanando o rabo. A mulher tinha a agilidade e a energia da juventude, mas o rosto envelhecido por uma expressão de sofrimento. Sua vida havia sido de trabalho e esforço constantes. Fazia muitos anos que cuidava de um marido doente que vegetava na cama, tinha criado cinco filhos praticamente sozinha e enterrado dois.

— Minha menina... faz meses que não sei nada dela, onde está? — perguntou, trêmula.

— Está bem, minha senhora, nos Estados Unidos, no Arizona — disse Selena.

— Esteve com ela?

— Sim, acabo de vê-la. Trouxe várias fotos.

— Como sinto falta dela!

— E ela da senhora. Anita adora a sua Tita Edu.

Eduvigis convidou-os a sentar-se e ofereceu-lhes *cola-champán*, um refrigerante alaranjado, que ela serviu em copos de plástico. Lola havia avisado para não tomarem água, que naquele bairro era trazida em caminhões uma vez por semana e às vezes não estava limpa. Havia dois garrafões de água junto à cozinha. A casa era de painéis de concreto, quadrada, muito simples, arrumada e limpa, com piso de oleado e mosquiteiros nas janelas abertas, para que o ar circulasse.

— Anita vai fazer oito anos sem a mãe, sem a avó, sozinha... Essa dor tão grande é uma faca cravada no meu coração — disse Eduvigis com lágrimas nos olhos.

— Nós vamos festejar, não se preocupe. Até quebra-pote vai haver no aniversário dela. Perguntei a ela o que queria de presente, ela pediu alguma coisa para ouvir música. Frank vai comprar.

— Disso ela vai gostar. A Anita sabe todas as canções da moda. Tem muito bom ouvido e é afinada. Era com isso que se distraía quando sofreu o acidente, até poder voltar à escola. Uma professora a estava ensinando a tocar violão. Já ouviram Anita cantar?

— Ainda não, mas agora que a senhora está dizendo, vou cuidar para não lhe faltar música. Vamos cantar e dançar juntas — garantiu-lhe Selena.

— A Anita é uma menina muito especial, foi assim desde pequenininha. Com três anos já falava como gente grande. Eu a ensinei a ler aos cinco anos. Foi sempre boa aluna, estudava sozinha, eu não precisava vigiar. E como cuidava da irmãzinha! Dizia que o papel dela era ser a mamãe de Claudia quando a sua mãe não estava, porque era a mais velha. Depois do acidente ficou séria, não ria como antes.

— Como foi o acidente? — perguntou Selena.

— Uma batida de frente. Um caminhão trombou com a caminhonete escolar.

— Que tristeza...

— Tivemos má sorte por muito tempo. E agora Marisol desaparecida! Vocês têm ideia de onde está? Ela me ligou faz mais de três meses, e eu não soube mais dela.

— Por isso estamos aqui, minha senhora — disse Frank.

A avó se desculpou por não ter mais o que lhes oferecer e disse que, se ficassem para almoçar, daria um pulinho no mercado. Contou que Rutilio, seu filho mais velho, havia sido o mais próximo dela, o mais responsável, o que tinha substituído o pai doente, sem vícios, nada de álcool, de brigas ou de mulheres, vivia só para as filhas e para Marisol; foram noivos por algum tempo e se casaram quando ela ficou grávida. Rutilio mal chegou a conhecer Claudia, porque morreu quando a filha tinha só três semanas. Trabalhava numa empresa de materiais de construção e, num desses acidentes inexplicáveis, ficou enterrado num jorro de concreto fresco. Não conseguiram tirá-lo de lá a tempo. Eduvigis desconfiava de assassinato, porque ele tinha sido ameaçado; era muito ativo no sindicato, fazia barulho, organizava os trabalhadores.

— Quem o ameaçou? — perguntou Frank em seu espanhol macarrônico.

— Só podem ter sido malfeitores contratados pela empresa, mas isso não dá para provar.

— Não pode ter sido gente das *maras*? — sugeriu Selena.

— O Rutilio não tinha nada a ver com essa gente. Além disso, as *maras* assassinam abertamente para servir de escarmento; não saem por aí ameaçando nem fingindo acidentes.

Frank e Selena passaram várias horas com Eduvigis, que insistiu em ir comprar uma galinha índia – de quintal, não de granja –, porque eles eram gente muito especial, como explicou. O almoço consistiu em abundante canja com legumes, que foi cozida enquanto eles viam fotografias, cadernos escolares de Anita, anteriores ao acidente que lhe lesou os olhos, e dois cartões postais enviados por Marisol durante a viagem ao Norte. Ficaram sabendo que ela ligou para Eduvigis pouco antes de se apresentar no posto de fronteira e mais uma vez de um centro de detenção no Texas, onde conseguiu que alguém lhe emprestasse um celular. Nos dois minutos em que conseguiram conversar, ela pôde contar à sogra que tinha sido separada de Anita.

— Ela me garantiu que isso era normal, que a Anita estava bem e logo elas estariam juntas de novo, mas eu sei que disse isso para me tranquilizar — contou a avó. — Aqui todo mundo sabe que no Norte separam as famílias, aparece na televisão. Ontem mesmo, vimos um menininho de três anos grudado às pernas do pai, berrando, coitadinho, e vimos como ele foi agarrado pelos bracinhos e puxado para se separar do pai. E também vemos as crianças que os coiotes abandonam sozinhas no deserto. Algumas são tão pequenininhas!

Frank e Selena ficaram sabendo que Marisol trabalhava como empregada doméstica de segunda a sexta-feira, na residência de um político na capital. A casa, na colônia Antiguo Cuscatlán, era uma das quatro existentes num condomínio fechado, com controle no portão e segurança dia e noite. Às sextas-feiras, ela saía do trabalho às seis da tarde e tomava o ônibus para Chalchuapa, onde passava o fim de semana com a família. O restante do tempo a avó, que tinha horário flexível no ateliê de anil, era quem cuidava de Anita. Ela era orientadora, a pessoa mais importante no complicado processo de transformar as sementes de anileira na pasta corante, porque ela determinava o ponto de oxigenação. Em vista de sua grande experiência, também se encarregava de receber os visitantes e explicar cada etapa do trabalho, da semente ao tecido terminado.

Desde a morte do marido, cinco anos antes, Marisol tivera vários pretendentes, mas os repelira; chegava cansada e só tinha vontade de ficar em casa. Não tinha se recuperado do luto, achava que nunca encontraria outro companheiro como Rutilio, que também pudesse ser bom padrasto. "Minha nora é muito respeitosa, nunca trouxe nenhum daqueles sujeitos à minha casa", explicou Eduvigis, e acrescentou que o único era Carlos Gómez, um guarda de segurança do condomínio onde Marisol trabalhava como empregada doméstica. Sempre chegava sem ser convidado, com a prepotência do uniforme. Na primeira vez, Marisol o recebeu na rua, embora o conhecesse, mas depois foi impossível fechar a porta na cara dele. Gómez aparecia sem aviso prévio, a qualquer hora, e insistia em ver Marisol.

— Segundo a declaração de Marisol, esse foi o homem que lhe deu um tiro antes que ela fugisse do país com Anita — disse Selena.

— Alguma coisa a minha nora descobriu. Um segredo. Nunca disse, mas eu a ouvi falando com Gómez. Eu não estava bisbilhotando, aqui as paredes são muito finas.

— Tem ideia do que se tratava?

— Não. A Marisol prometeu a ele que não ia falar daquilo com ninguém, que não era da conta dela, que ele a deixasse em paz. Às vezes ele ameaçava, outras vezes queria ter relações com ela, tentava beijá-la, passava a mão nela. Ela tinha muito medo dele.

A avó também tinha medo de Gómez, que de vez em quando chegava no meio da semana, quando sabia que Marisol não estava, e exigia ver Anita. Queria ser chamado de tio Carlos e trazia presentinhos, brinquedos ou doces. "Para a menina ir me conhecendo e se afeiçoando, ora", dizia. Isso deixava Marisol alarmada; ela havia dado à sogra instruções de não o deixar sozinho com a menina de jeito nenhum.

— Mas uma sexta-feira ele pegou a Anita na saída da escola. Isso foi depois do acidente. Pôs a menina no carro, e ela não resistiu, porque ele disse que eu tinha mandado. Quando uma professora quis intervir, ele explicou que era tio dela e ia levá-la a uma festa de aniversário. Parece que viu pelo espelho retrovisor que a professora tirava uma foto com o celular.

Eduvigis contou que naquela noite Marisol, chegando, encontrou-a desesperada porque a neta não havia sido devolvida. Tinha ido à escola buscá-la, como sempre, e a professora relatou o caso do tio e do aniversário e lhe mostrou a foto. Eduvigis reconheceu o veículo e entendeu na hora que ela estava em poder de Carlos Gómez.

— Por que não recorreu à polícia? — perguntou Frank.

— Polícia? Que ideia! Esse Carlos Gómez era policial até ser exonerado e acabou virando segurança, que é o mesmo que ser porteiro, mas com uniforme e arma. Ele ainda tem muitos amigos na polícia.

Marisol ligou para Gómez a cada dois minutos, mas ele não atendeu a nenhuma das ligações. Finalmente, por volta de meia-noite, quando toda a rua já estava sabendo que a menina tinha sido sequestrada, e a mãe e a avó estavam com os nervos destruídos, o homem chegou buzinando alegremente. Enquanto Anita corria para os braços da avó, ele explicava que a tinha levado à praia. "Da próxima vez você tem de ir com a gente, Marisol, para sua filha se divertir tranquila. Não gosto de criança chorona", acrescentou em tom ameaçador. Desde aquele dia, contagiada pelo medo da mãe e da avó, Anita se escondia quando Gómez aparecia.

— Acho que Anita foi salva pela foto da professora. Gómez sabia que podia ser identificado — disse Eduvigis. — Isso não o desanimou no plano de conquistar Marisol. Também para mim ele trazia presentes, um espremedor de frutas, presunto, café do bom, ou então deixava coisas para a Marisol. Se eu o mandasse embora, ficava furioso. Isso durou vários meses. Começou a ficar muito impaciente, irritado. As ameaças subiram de tom, ele controlava e espionava Marisol, fazia cenas de ciúmes como se eles fossem um casal.

— E ela?

— Ela evitava como podia aquele maldito! Não queria nem ver aquele homem! — explodiu a avó. — E assim prosseguiu a coisa até lhe dar um tiro, e por pouco ela não morre. Por isso teve de ir embora. O que mais ela podia fazer? Eu não queria que levasse a minha neta, mas a Marisol não podia deixá-la aqui à mercê de Gómez, não é verdade?

Eduvigis lhes deu o endereço de Genaro Andrade, um irmão de Marisol que trabalhava com turismo na Costa del Sol, a zona das praias mais concorridas. Era o único parente de Marisol em El Salvador, pois o restante de sua família estava na Guatemala.

Selena e Frank voltaram naquela noite à capital. No dia seguinte, Lola os levou a Antiguo Cuscatlán. Pelo número do celular que Eduvigis lhe dera, Selena tinha marcado um encontro com Carlos Gómez, apresentando-se com uma mexicana que estava de passagem e gostaria de conversar com ele; uma amiga lhe dera seu número. Nela, a erupção de pele por causa do calor havia passado, mas Frank estava em carne viva. Não era a primeira vez que Lola tinha um passageiro com aquele problema. Tirou do porta-luvas uma bolsinha de plástico sem etiqueta com uns comprimidos soltos e ordenou que ele engolisse dois a cada quatro horas. Frank se resignou a obedecer sem fazer perguntas.

Grandes árvores davam sombra às ruas senhoriais do bairro. De fora, enxergava-se muito pouco da propriedade onde Carlos Gómez trabalhava, pois ela estava cercada por grades e ocultada por um muro impenetrável de vegetação, como a maioria das outras mansões. Frank instalou-se no táxi rosa de Lola depois da esquina, enquanto Selena tocava a campainha e apresentava-se pelo interfone. Gómez, que estava de plantão, pediu a seu colega que o substituísse durante algum tempo, enquanto ele falava com a suposta turista mexicana, e saiu à rua.

Selena admitiu para seus botões que o homem parecia imponente em seu uniforme cáqui cheio de bolsinhos e correames, pesadas botas de campanha, óculos de aviador e boina preta; conseguia parecer membro ativo de uma unidade de combate. Ela, por sua vez, não precisou se esforçar para impressioná-lo, e a experiência lhe indicou que ele tinha se desarmado assim que a viu. A atitude de Gómez, desconfiada no começo, transformou-se quando ela se aproximou, cabelo solto, sorriso, vestido decotado e aquela maneira própria de se movimentar ondulando.

— Em que posso servi-la, senhorita? — cumprimentou ele, muito amável.

— Poderíamos nos sentar por um momento, capitão? Está fazendo um calor do inferno...

Nenhum visitante entrava na propriedade sem convite, e o dever de Gómez, entre outros, era impedir que isso acontecesse e até mesmo inspecionar cada carro por dentro e por fora antes de abrir o portão, mas não podia parecer um subordinado diante daquela mulher, que linda, deixa pra lá. Gostava das novinhas, antes de se desenvolverem, inocentes, mas aquela mulherzinha era digna de ser comida. Deixou-a passar por uma porta de pedestres ao lado do portão e a conduziu com galanteria a um banco semioculto entre as plantas tropicais do jardim. Sentaram-se, e Selena pôde apreciar a piscina e ver de longe algumas casas. Não havia ninguém à vista, só dois pastores alemães grunhindo ameaçadores a certa distância, até que Gómez os expulsou.

— Diga o que posso fazer por você, linda — repetiu o guarda, com intimidade.

— Como lhe disse por telefone, capitão, uma amiga me deu seu número.

— Quem?

— Marisol Andrade, eu a conheci no México.

— Quando foi isso? — perguntou o homem, alerta, na defensiva.

— Faz vários meses, deve ter sido no começo de outubro do ano passado, não me lembro exatamente.

— Não tenho nada a ver com essa Marisol.

— Você a conhece, não? — insistiu Selena.

— Ela trabalhava numa das casas. Aqui há dezenas de empregadas.

— Mas ela era especial. Ela me contou o que houve entre vocês.

— Quem é você? O que quer comigo? — exclamou Gómez, pondo-se de pé.

— Calma, capitão, não fique assim, eu sei que foi acidente — sorriu Selena, tirando uma mecha de cabelo do rosto, com as pernas cruzadas, o vestido estreito na metade da coxa, o decote úmido de suor.

— Você precisa ir embora, não pode ficar aqui — ordenou Gómez segurando seu braço.

Selena fingiu tropeçar, quase cair, mas o homem a reteve com firmeza. Ficaram olhando-se nos olhos, separados por poucos centímetros.

— Só quero conversar, capitão. Onde poderíamos nos reunir? A Marisol me falou de você, fiquei morrendo de curiosidade. Gosto de homens fortes, que impõem respeito... — murmurou Selena, arrastando as palavras.

Carlos Gómez marcou encontro com ela para aquela noite no La Flor de Izote, local de penumbra, sujo, com bar, pista de dança e música latina. Não tinha dinheiro suficiente para levá-la a um lugar digno daquele pedaço de mulher, mas imaginava que, com dois ou três tragos e algum tempo dançando apertado, para ela sentir o tipo de macho que ele era, ia amansá-la. Nenhum problema. A estratégia sempre funcionava. Marisol foi a única que lhe resistiu em seus quarenta anos de existência, e não por ele ter falhado, mas porque ela era uma bruta. Ainda se perguntava por que diabos ficou obcecado por ela, uma magrela ossuda e, ainda por cima, com duas filhas. Precisou desfazer-se de Marisol no início, antes que as coisas se complicassem.

Frank e Lola, que tinham seguido Selena, sentaram-se a uma outra mesa; ela com uma cerveja e ele com água mineral. Para a ocasião, Lola tinha desvestido o jaleco branco e posto uns brincos de aros pendentes como enfeites de Natal. Frank lhe disse que estava muito bonita, e ela avisou, com um risinho sufocado, que não tivesse ilusões, porque infelizmente ela era casada.

Enquanto Selena acariciava uma repugnante margarita, morna e doce demais, Gómez ia para a terceira cerveja, tinha baixado a guarda e estava eloquente. A mexicana não representava nenhum perigo, era outra gostosa assanhada, estava na palma da sua mão, iam terminar a noite como se deve. Quando dançavam, ele a apertava, ela era uma fêmea linda, branquinha, tinha ritmo, cheirava a suor e perfume, o melhor eram os lábios e aquelas pernas, aquelas sandálias, as unhas dos pés cor de coral, tinha classe. Pediu um uísque, sentia-se generoso, amável, expansivo, confiado. A mexicana o ouvia boquiaberta, estava fascinada; as mulheres gostam de violência, querem ser dominadas, mesmo que resistam, que gritem, ele sabia perfeitamente, mostrando-se bem macho ele as conseguia nas redes sociais. Dava gosto falar com a mexicana, que sabia ouvir.

— O tiro foi por acidente, sempre ando armado, aprendi a atirar quando era pequeno, meu pai me ensinou, aqui mesmo tenho minha arma, não me separo dela nem para dançar, posso mostrar, se quiser, não a solto porque meu dever exige, nem para dormir largo dela, é preciso defender os patrões, é para isso que nos pagam, para que não passe pela cabeça de nenhum filho da puta sequestrar uma das crianças, os cachorros não bastam, podem ser envenenados, aqui há muitos desgraçados, ladrões, quadrilheiros, para isso servimos nós, da segurança, somos seis, nos revezamos a cada oito horas, dois em cada turno; naquele dia, o dia do acidente, eu estava no turno da noite, que começa às dez e termina às seis da manhã, o céu estava nublado, era plena temporada de chuva, escureceu cedo, meu colega estava fazendo a ronda pelo perímetro, e eu estava postado na entrada, eu te disse que era tarde?, não havia muitas luzes no jardim, depois do acidente de Marisol instalaram mais luzes, agora temos luzes com sensores de movimento, que se acendem de vez em quando, se passar um dos cachorros, ou um pássaro, quanto mais se passar um intruso, mas naquela noite a visibilidade era ruim. Quer outra margarita? Ouvi passos no cascalho, saquei o revólver por via das dúvidas, nunca se sabe o que pode acontecer, perguntei quem era, ninguém respondeu, gritei de novo, gritei umas três vezes e nada, então vi alguém no meio das samambaias, alguém escondido, uma figura, me preparei para me defender, dei ordem de sair e, quando saiu correndo, disparei, foi um tiro para o ar, para assustar, não para matar, como eu ia imaginar que era a Marisol, naquela hora ela não tinha nada que fazer no parque, eram quase onze da noite, o acidente foi culpa dela, por que se escondeu, por que não me respondeu, por que fugiu... Você está dizendo o quê? Que o tiro foi no peito, e não nas costas? Bom, não me lembro dos detalhes, está tudo no relatório policial, ainda bem que não foi fatal, imagine a encrenca se... Ei, você! Mais um uísque! — pediu ao garçom.

— Segundo Marisol, você marcou encontro com ela no jardim, disse que queria conversar sobre um assunto relacionado à filha dela — interrompeu Selena, improvisando.

— Mentira. Também era mentira que eu ia vê-la em casa, como disse à polícia. Nunca gostei dela, não perco tempo com gente sacana como ela, sobram mulheres gostosas, por que eu ia prestar atenção naquela magrela feia? A única coisa boa que tinha era o cabelo, que ela rapou como uma sarnenta. Era uma doida varrida.

— Por que você fala dela no passado, como se tivesse morrido?

— Que sei eu se ela está viva ou morta! Não estou nem aí. Saiu do hospital e desapareceu, foi embora.

— Para onde?

— Para a merda, imagino. Mas você não a viu no México?

— De passagem para o Norte, ela queria pedir asilo nos Estados Unidos.

— Ha! Como outros milhares de infelizes. Todos deportados.

— Ela foi deportada?

— O que é que você queria, linda? Que fosse recebida pelos gringos de braços abertos?

— Você a viu desde então? — insistiu Selena.

— Não! Vai saber onde está. Se tivesse voltado, eu saberia.

— Saberia como?

— Eu tenho meus contatos.

— Se não está aqui, talvez esteja no México — sugeriu Selena.

— Lá também não está.

— Você parece ter certeza.

— Eu já disse que tenho meus contatos. Por que estamos falando daquela puta? O que você tem a ver com ela? — perguntou Gómez, ameaçador, apertando sua munheca com dedos de ferro.

— Nada. Não estou nem ligando pra ela, o que eu quero é saber de você... Mas me solte... — respondeu ela.

— Muito cuidado comigo, não me deixe nervoso! — ameaçou o homem.

— Está me machucando...

Carlos Gómez cravou o olhar nela. Tinha os olhos avermelhados e vidrados de álcool. Ela sustentou o olhar durante um minuto que lhe pareceu interminável, até que ele soltou seu pulso e se inclinou para trás com o copo na mão.

— Tem certeza de que não quer outra margarita? Vamos dançar, então...

Com o pretexto de ir ao banheiro, Selena conseguiu se levantar da mesa e o deixou cabeceando, meio aturdido. Escapuliu do bar sem ser vista por ele, seguida por Lola e Frank. Os três se reuniram no táxi e foram comer num pequeno restaurante francês da Zona Rosa, onde Frank queria brindá-las com toalha branca e um bom vinho; começava a se ressentir do excesso de comida local. Disse a Lola que também convidasse seu marido, mas ela anunciou que uma vez na vida ia se divertir sozinha. Acomodou-se na cadeira e, antes de abrir o menu, pediu um *manhattan*. "Não sei o que é isso, vi num filme e sempre quis experimentar", disse. Assumira de corpo e alma a missão dos gringos, como chamava Frank e Selena, e tinha várias teorias sobre a sorte de Marisol. Disse que, enquanto eles estavam com a avó Eduvigis em Chalchuapa, tinha ido à biblioteca, entrado na internet e conseguido informações sobre Carlos Gómez e o escândalo que acabou com a carreira dele na Polícia Nacional Civil. Ele tinha sido acusado de estuprar e agredir brutalmente uma menina de onze anos, mas, pouco antes de ir a juízo, os pais retiraram a acusação, e o assunto deu em nada. Num artigo de jornal sugeria-se a possibilidade de terem sido silenciados pela polícia com dinheiro, para evitar outro escândalo, pois já havia em número suficiente, mas, segundo Lola, o mais provável era que Gómez os tivesse ameaçado.

— A Marisol tinha razão para temer pela Anita — comentou. — Aquele homem tem má índole, é um demônio. Tem a quem puxar, filho de peixe, peixinho é. O pai dele é militar, já está velho e reformado, mas todos sabem que ele comandava a tropa em El Mozote. Sabem que lá queimaram gente viva? Até as crianças, imagine. Aquele psicopata nunca teve de pagar por aqueles crimes, e Carlos Gómez também não pagou pelos seus.

A comida revelou-se tão francesa quanto anunciado no menu. Lola opinou que os pratos eram reduzidos; pela metade daquele preço ela podia levá-los para comer até se fartarem em outro lugar, por exemplo na praia, quando fossem falar com o irmão de Marisol. Perto da meia-noite, Lola, com duas cervejas, dois *manhattans*, uma taça de vinho e outra de champanhe no corpo, deixou-os no hotel e saiu cantarolando em seu táxi rosa, com instruções de pegá-los no dia seguinte para irem falar com o irmão de Marisol na praia.

Nos dias que passaram juntos, a camaradagem de Frank e Selena tinha virado intimidade. Frank a tomava pelo braço ou pela mão, eles se tocavam, um dava ao outro a comida de seu prato para experimentar, bebiam do mesmo copo, enfim, ia crescendo aquela cumplicidade dissimulada de quem já sabe que fazer amor é inevitável. Em vez de cada um ir para seu quarto, como tinham feito sem entusiasmo nas noites anteriores, foram para o jardim, vazio àquela hora. Os guarda-sóis já haviam sido recolhidos, mas ainda restavam as cadeiras reclináveis, onde eles se deitaram lado a lado, um pouco entontecidos pelo álcool do jantar e pela antecipação do desejo. Naquela noite de quarta-feira o calor do dia dera lugar a uma brisa suave, que espalhava no ar a fragrância doce de lírios e da grama recém-podada. A água quieta da piscina refletia a lua. A música do hotel e as vozes tinham silenciado havia muito, só o som dos grilos interrompia a quietude do jardim.

Selena sentiu-se derreter na espreguiçadeira, lânguida, como se não tivesse ossos, pálpebras pesadas, suor nos braços, umidade entre as pernas, e aquele perfume invasor de flores tropicais. "Bebi demais", murmurou, disposta a entregar-se ao sono. Passar a noite ali, tão perto de Frank, sem se tocarem, sentindo sua energia como uma vibração, esperando, que delícia, pensou. Frank estava com todos os sentidos alertas, atento a sinais, medindo a distância tremenda que o separava dela, um abismo de meio metro entre as cadeiras.

Desde o momento em que se encontraram no aeroporto de Los Angeles para embarcar, quando a viu com sua calça jeans *délavé*, sua horrenda camiseta de Frida Kahlo e a mesma bolsa informe da Guatemala, já sua conhecida, ele aceitou com um suspiro de resignação que estava apaixonado. Ali, naquela noite de lírios e grilos, percebeu que a paixão havia começado quando a conhecera em São Francisco. Não tinha deixado de pensar nela desde aquela amanhã de dezembro, quando ela irrompeu em sua vida perfeita e o enredou numa missão desesperada, que era como tentar deter a maré.

Anita Díaz tinha sido a primeira e, pouco depois de aprender os fundamentos das leis de imigração, ele assumira a defesa de outras crianças sem dizer nenhuma palavra em seu escritório, porque, tal como o advertira claramente seu chefe, ele não tinha tempo livre nem férias. Estava roubando tempo da firma. Já era um a mais na lista de milhares de advogados voluntários que representavam os menores na fronteira. Acompanhara uma daquelas crianças perante o juiz e, quando obteve o asilo, mais depressa do que esperava, pois o homem era dos antigos, anterior à nova onda de juízes ultraconservadores e anti-imigrantes designados pelo governo, sentiu tanto alívio, que sua voz se embargou, e ele terminou no banheiro jogando água fria no rosto. De lá, ligou para a mãe, que o felicitou quase tão emocionada como ele e prometeu enviar-lhe logo mais almôndegas.

Quando se conheceram, Selena contara que estava estudando leis na internet, mas voltaria à universidade tão logo pudesse, para tirar o diploma, pois queria atuar como advogada de imigração. No começo ele achou má ideia, tanto estudo e esforço para se dedicar a um ramo ingrato da lei, mas tinha mudado de opinião. Naquele momento lhe importava muito mais proteger Anita e outras crianças do que a sala com duas janelas no andar superior que lhe havia sido destinada no escritório.

— Selena, você deve saber que eu te amo — balbuciou, finalmente.

Tinha passado seis semanas planejando aquela declaração para que fosse o mais convincente e poética possível, mas naquele momento esqueceu o que havia ensaiado e acabou tartamudeando como um adolescente.

— Isso não é amor, Frank, é desejo mais oportunidade — sorriu ela de sua cadeira.

— De sua parte, talvez. Da minha, é amor.

— Tem certeza?

— Tenho. E acho que você sente por mim algo mais que amizade, a menos que de tanto gostar de você, eu esteja tendo alucinações — respondeu ele.

— Não posso falar de amor, Frank, porque o único que conheço é o que vivi com Milosz desde sempre. Não me lembro da minha vida sem ele.

— Você gostaria que ele estivesse aqui esta noite em meu lugar?

— Não.

— Então, vamos dar esta oportunidade ao desejo e ver o que acontece.

Foi o que fizeram e, para Frank, aquela noite foi memorável.

Selena era sensual e apaixonada, mas para ela o sexo, como quase tudo na vida, era uma questão de coração. Sua sexualidade tinha despertado com Milosz Dudek, quando ela ainda era virgem, e só se desenvolvera com ele. As duas experiências que ela tivera nos intervalos de seu longo noivado, quando se separaram temporariamente, não deixaram rastros. Na cama, Milosz não complicava. Sabia exatamente o que fazer para satisfazê-la, o que era muito importante para ele, pois considerava a base de uma boa relação. Conhecia o corpo de Selena melhor que o seu, confiava na atração mútua e em sua virilidade; estava certo de que ela não tinha queixas nesse assunto, porque, se as tivesse, diria. Era verdade. Selena gozava com ele tão naturalmente, que lhe custava imaginar que o sexo pudesse ser de outro modo, como lhe contara sua irmã Leila.

Frank deparou com uma jovem de gostos simples e disposta a satisfazê-lo, não pedindo nada para si mesma e entregando-se ao prazer com certa inocência que o desconcertou. O primeiro passo de seu plano habitual era despir a companheira da vez, com lentidão ou rapidez, dependendo das circunstâncias, enquanto a amolecia com muitas carícias perspicazes, mas Selena não lhe deu tempo nem de se aproximar antes de tirar a roupa num vapt-vupt. Nada de pudor, nenhuma tentativa de seduzi-lo ou de criar a ilusão de estar sendo seduzida. Nua era tal qual vestida: ancas largas, peitos pequenos e pernas fortes, que o vestido de verão revelava, curvas, colinas, uma alarmante falta de músculos, fibras e ossos à vista. Se não se cuidasse, terminaria como uma ninfa de Rubens, pensou Frank com deleite e riu, encantado. Ela o beijou na boca e o empurrou para a cama larga do hotel.

Frank não estava acostumado a receber ternura num primeiro encontro, ou melhor, quase nunca, e isso também o desarmou. Por sua vez, Selena não estava acostumada a eternos preâmbulos, a acrobacias e falas obscenas. As perguntas de Frank sobre o que ela gostava soaram-lhe como um questionário de ginecologista e, em vez de excitá-la, provocaram um ataque de riso. Por sorte, ele tinha suficiente sensatez para não se ofender e abandonou rapidamente aquela tática, tão útil no passado, quando viu que Selena não a apreciava. Deduziu, surpreso, que seus magníficos conhecimentos e sua vasta experiência produziam em Selena efeito contrário ao esperado e, tão logo entendeu que não precisava impressioná-la, mas entregar-se, puderam amar-se. Ela não tinha ido ao quarto de Frank para participar de um circo de proezas eróticas, mas para fazer amor. Foi o que fizeram naquela noite e nas outras duas em que conviveram naquela cidade. Simplesmente se amaram.

Na manhã de quinta-feira, Lola apareceu jovial no hotel, sem efeitos visíveis de ressaca. Primeiro os levou à embaixada americana, onde Frank tinha encontro com Phil Doherty, alto funcionário que figurava entre seus melhores amigos; conheciam-se desde a escola secundária, e Frank tinha sido seu padrinho de casamento. Não podia passar pela cidade sem ir cumprimentá-lo. Por fora, o prédio parecia um quartel militar, totalmente rodeado por uma muralha impenetrável, pintada com murais alegres para ganhar um aspecto mais ameno. Não tiveram de enfrentar a extrema segurança, porque Phil os esperava numa porta lateral para abraçar o amigo e levá-los para dentro. Lola decidiu dar voltas pelo bairro e apanhá-los quando ligassem, porque não podia estacionar nos arredores, que eram vigiados por radiopatrulhas. Passaram uma hora agradável num dos salões para visitas importantes, tomando suco fresco de abacaxi. Os dois amigos puseram-se em dia quanto às respectivas vidas, à política nos Estados Unidos, ao novo presidente de El Salvador, jovem populista que já tinha lutado contra os americanos, e ao problema iniludível da emigração em massa de salvadorenhos.

— As pessoas vão embora por falta de oportunidades, mas principalmente por causa da insegurança. O país tem a má fama de ser um dos mais violentos do mundo. Não conseguiram controlar as quadrilhas e os narcotraficantes — disse Doherty.

— É por isso que estamos aqui, Phil. Estou representando uma menina que chegou com a mãe ao Arizona em outubro para pedir asilo — disse Frank, e passou a resumir o caso e as buscas que estavam fazendo para encontrar a mãe e proceder à reunião das duas.

— Por que estão tão interessados nela? Há milhares de menores na mesma situação — perguntou o outro.

— Fiquei responsável por Anita desde que foi separada e chegou ao albergue. Tenho muitas crianças sob minha responsabilidade e gosto de todas, mas com ela fiquei mais tempo e fui completamente conquistada — respondeu Selena.

— Por ser cega?

— Isso também, mas, mesmo que não fosse…

— A mãe foi deportada?

— Não sabemos. Não está nos acampamentos da fronteira do México.

— O que vai acontecer se não a encontrarem?

— Dentro de certo prazo Anita poderia ser considerada menor abandonada e receber um visto especial, mas você sabe que isso demora muito.

— Contem comigo, se eu puder ajudar de alguma forma — ofereceu Phil.

Selena tinha falado pouco, mas causou tão boa impressão em Phil, que na saída ele apartou Frank alguns passos e cochichou ao seu ouvido que aquela mulher era um achado.

— Estou sabendo — respondeu Frank.

— Não deixe escapar, homem. Case com ela.

Lola os levou à praia El Tunco, onde o irmão de Marisol era instrutor de surf. A viagem de uma hora demorou quase o dobro por causa do trânsito, mas até do calor eles se esqueceram quando chegaram à extensa praia de areia cinzenta e mar de ondas fortes. Embora fosse dia útil, estava cheia de gente — a metade, turistas —, e era difícil abrir caminho entre os restaurantes, os bares e as lojas de esportes e artesanato. Lola explicou que ali as equipes internacionais de surf treinavam para as Olimpíadas.

Genaro Andrade os esperava num dos restaurantes rústicos com cervejas geladas e camarões em molho de alho e coentro. Era um homem novo, de ombros largos, bronzeado e musculoso, com meio corpo tatuado, cabelos descoloridos e um sorriso de dentes tortos. Estava a par do assédio imposto a Marisol por Carlos Gómez, e em certa ocasião até havia ido falar com ele para exigir que deixasse sua irmã em paz, mas aquilo só tinha servido para aquele homem o ameaçar também. O sujeito era perigoso, disse, estava metido até o pescoço na corrupção e em negócios espúrios, tal como seu pai estivera antes. Genaro não sabia de Marisol fazia meses. A última vez que a vira tinha sido durante a convalescença do tiro. Depois de receber alta do hospital, ela se escondera na casa de Genaro durante dois meses e, assim que se recuperou o suficiente, foi buscar Anita e fez a viagem para o Norte.

Genaro disse o que sabia de Gómez. Depois de exonerado da polícia, conseguiu emprego numa agência de segurança privada, como tantas que proliferavam no país, onde trabalhou dois anos, até que houvesse uma investigação criminal contra aquela agência; era uma empresa de fachada para tráfico de gente e de armas. Foi contratado por outra agência semelhante, que prestava serviços ao condomínio residencial onde Mirasol trabalhava.

— Ninguém pediu referências? — perguntou Frank.

— Os clientes se entendem com a agência, não pedem referências a cada guarda que lhes mandam.

— O que você quer dizer com tráfico de gente, Genaro?

— Os migrantes pagam aos coiotes até dez mil dólares e às vezes mais para que eles os introduzam ilegalmente nos Estados Unidos. Alguns coiotes são responsáveis, mas também há bandos que os abandonam no caminho ou os ameaçam e cobram mais. Quando eles ou seus familiares não pagam, muitos desaparecem. Marisol não podia pagar aquela quantia.

— Ela conseguiu atravessar a Guatemala e o México sem ajuda — disse Selena.

— As mulheres correm muito perigo, são estupradas, raptadas, mortas. Ninguém investiga, são descartáveis. Eu avisei minha irmã.

— A intenção dela era apresentar-se e pedir asilo num posto de fronteira, mas foi impedida antes de pisar nos Estados Unidos. É o que fazem com todos agora. Por isso ela cruzou ilegalmente pelo deserto — explicou Selena.

— Foi uma loucura fazer isso com a menina. Não sei se vou voltar a ver a minha irmã ou a minha sobrinha.

— Você tem ideia de onde sua irmã poderia estar agora?

— Ela não se comunicou comigo.

— É estranho Marisol não ter tentado verificar o que aconteceu com a filha — disse Selena.

— Sabe por que Gómez atirou nela? — perguntou Frank.

— Aquilo não foi acidente. Minha irmã ficou sabendo por acaso que Gómez está envolvido com uns militares na venda de armas do exército para uma das *maras*. Até nisso há corrupção. Ele precisava ter certeza de que ela não ia falar.

Já que estavam lá, Genaro insistiu para entrarem no mar e emprestou uma roupa de banho a Frank, que havia surfado em muitas praias, mas poucas como aquela e nunca com um instrutor tão ousado como Genaro, que desafiava as ondas desde menino. Lola e Selena preferiram ficar na sombra, tomando sorvete de coco.

— Nossas voluntárias do Projeto Magnólia não encontraram Marisol nos acampamentos de refugiados na fronteira do México. Lá as pessoas estão de passagem, as condições são caóticas, as *maras* fazem o que querem, e a polícia não intervém. Há milhares de pessoas esperando a possibilidade de pedir asilo — disse Selena a Lola.

— Por que você acha que a Marisol estaria naqueles acampamentos?

— Porque é o normal. Eles põem os detidos do outro lado da fronteira sem se importarem em saber de onde eles vêm. Se ela tivesse sido deportada com o procedimento legal, o nome dela estaria registrado, mas não consegui confirmação. O pessoal da imigração não fornece nenhuma informação.

— Como não tive essa ideia antes! — exclamou Lola. — Se ela tiver chegado aqui deportada, só pode ter sido de avião, e a entrada vai estar registrada. Meu marido trabalha no aeroporto; ele pode conseguir esse dado — respondeu Lola, e digitou o número dele no celular.

Às sete da noite, depois de jantarem um vermelho inteiro para cada um, com mandioca frita e salada, voltaram à capital. Às dez da noite, o marido de Lola avisou que Marisol Andrade de Díaz não figurava entre os deportados que tinham chegado ao país nos últimos seis meses.

Anita

Tucson, março de 2020

A miss Selena sumiu uns dias, porque foi para El Salvador. Trouxe as fotos da mamãe que a Tita Edu mandou e as que ela tirou da vovozinha, dos cachorros e até dos periquitos, todos estão bem. A miss Selena descreveu para mim as fotos, que eu carrego na mochila para todo mundo saber que tenho família, ninguém pode me adotar. Ela foi de avião com o Frank. A viagem de lá que eu fiz com a mamãe foi superdemorada, mas de avião se vai numa tarde, é tão rápido como ir a Azabahar com as anjinhas; num abrir e fechar de olhos já estamos lá. Deve ser legal voar de avião.

A Tita Edu estava triste porque eu não tinha falado com ela. Agora ela tem o número do celular da miss Selena e eu vou poder falar com ela toda semana. A Tita Edu sabe como fazer isso, ela precisa comprar um chip para o celular e assim vai poder ligar. A miss Selena vai acertar tudo para ela. Um dia eu também vou ter um celular. Mas já vou avisando, Claudia, se a gente começar a chorar quando a Tita Edu ligar, é como dar uma facada no coração dela. Nós precisamos prometer que não vamos chorar ou então eu vou dizer à miss Selena que é melhor não telefonar.

O Frank está muito ocupado com os papéis que precisa arrumar para a gente ver a mamãe, por isso que não vem, mas pelo menos eu posso falar com ele pelo FaceTime. Acho que entendi quase tudo o que ele falou do juiz. Pode ser uma juíza. Se for uma juíza, melhor. O Frank vai explicar que o meu inglês não é muito bom e é certeza que vão me deixar falar em espanhol; eles têm intérpretes, esse é o nome das pessoas que pensam rápido em inglês e espanhol. Não tem nada de armar um berreiro; a gente pode chorar, mas sem fazer barulho. Eu sei o que tenho que dizer, a verdade, só isso, o que Carlos fez à mamãe, o hospital e tudo da viagem, o pedaço que nós fizemos andando, que foi bem comprido e bem cansativo, os caminhões cheios de gente e o teto do trem, isso foi o que me deu mais medo porque se mexia muito, e quem cai de lá de cima acaba debaixo das rodas e simplesmente morre ou fica sem as pernas. O Frank sabe que foi por culpa do Carlos que precisamos ir embora. Ele disse que não é pra falar tio Carlos, porque tio significa carinho, e ele é ruim e prejudicou a gente. O juiz ou a juíza não sabem disso de tio, aqui não se usa, se diz mister ou miss.

Desde que nos trouxeram para este lar adotivo não vi mais a minha anjinha, porque aqui é muita confusão, e a televisão está sempre ligada; tanto barulho deixa a gente zonza. Mas ela está aqui, é trabalho dela cuidar de mim. Assim que conseguir enxergar minha anjinha, vou pedir pra ela tirar a gente daqui e levar pra esperar a mamãe em outro lugar. Não, ué, Claudia, que ideia, ligar pra ela. Você já viu algum anjo com celular na igreja? Bom, as anjinhas também não têm celular. Poderia ser uma carta, mas minha letra não dá pra entender. Antes eu tinha a melhor letra da classe e agora nem consigo ler nem escrever. Assim é a vida.

A miss Selena disse pra não me preocupar, que isso de lar adotivo é um nome, só isso, não quer dizer que vão adotar a gente. Nós temos família, não estamos sozinhas. Este lar também se chama lar substituto, ou coisa assim, mas todo mundo diz *foster home*, porque é assim que se chama em inglês. Não me importa como se chama, de qualquer jeito não gosto nem um pouco. É como uma família, com papai, mamãe e irmãos, mas não quero outra mãe, já tenho uma que se chama Marisol, e o papai morreu e não quero irmãos. Já disse várias vezes, mas parece que não se pode dizer mais, porque senão vão ficar zangados e jogar a gente na rua.

Parece que o correto é chamar de mamãe a senhora que manda no lar adotivo, mas eu expliquei que não vou chamar ninguém assim além da minha própria mãe. Se pode dizer dona María, mas ela não gostou. Também não gostou quando eu disse que não pode me adotar. Acho que ficou com um pouco de raiva, porque eu ouvi que ela disse à miss Selena que eu era teimosa e atrevida. Não é verdade. Ninguém me chamou de teimosa nem de atrevida em toda a minha vida, podem perguntar à Tita Edu e às minhas professoras na escola de antes. Pelo menos essa dona María fala espanhol, é mexicana, acho, porque, em vez de dizer *cipotes*, ela diz *chamacos*.[2] Era assim no México. Você se lembra quando a gente passou pelo México? A única coisa boa deste lar é que não precisamos aguentar o Lombriga e o Vômito de Iguana. As outras crianças daqui são menores e não nos incomodam.

Já sei como mandar uma mensagem para a minha anjinha. É fácil. Preciso achar um buraco numa árvore ou na terra, também pode ser numa pedra. No buraco eu ponho a mensagem e aí ela fica lá até a anjinha recolher. É igual ao que se faz pra falar com as fadas, os gnomos, os duendes e todos os seres mágicos do bosque e das águas. É melhor deixar a mensagem escrita no buraco, mas, se for falada, também dá pra entender. Vou dizer que já estou muito cansada de esperar aqui no Norte, mas não podemos voltar para El Salvador sem a mamãe, isso de jeito nenhum, e que essa história de lar adotivo não é boa ideia. Será que ela não poderia procurar outro lugar pra gente viver? Seria legal ir morar com a miss Selena na casa dela. Eu sei que ela gostaria também, ela já disse, mas não é permitido. Preciso pensar direito o que vou dizer na mensagem, não se pode pedir muito. O mais importante é a mamãe voltar.

Esta noite vamos a uma festa em Azabahar, mas não está certo entregar a mensagem à minha anjinha lá, isso eu vou fazer depois. Todas as pessoas,

2 As duas palavras significam "crianças". [N.T.]

os animais e os seres mágicos que já conhecemos vão fantasiados à festa, porque é como um carnaval. Nós vamos com fantasias emprestadas, a tua é de borboleta, para você poder voar, e a minha é de beija-flor, para voar com você. Eu queria uma fantasia de sereia pra nadar no mar com os golfinhos e as focas, mas preciso te acompanhar. Presta atenção, Claudia, olha que essa é a nossa primeira festa lá e nós precisamos causar boa impressão pra eles nos convidarem de novo. Não se esqueça de cumprimentar e agradecer.

Vou ter que lavar a Didi, porque assim não dá pra ir a lugar nenhum, em Azabahar não vão deixar ela entrar. Vou pôr de molho no tanque do quintal, pra não sujar o banheiro. Peguei um pouquinho de xampu no copo das escovas de dentes e com isso ela vai ficar como nova, é melhor que sabão. Depois vou pôr pra secar no sol. É assim que a Tita Edu lava os coletes e, como a Didi é de pano, a gente pode fazer a mesma coisa com ela. Se não der tempo de secar, ela vai molhada mesmo.

Depois de todo mundo se deitar, desligar a televisão e apagar as luzes, vou te acordar e nós vamos sair bem quietinhas no quintal. Muito cuidado para não fazer barulho, entendeu, Claudia? A minha anjinha vai ficar esperando, mas talvez esteja invisível. Não faz mal. Se ela disse que vai estar lá, é porque vai. As anjinhas não podem mentir, é completamente proibido; se mentirem, perdem o emprego e ficam sem trabalho. Isso é muito ruim para elas.

A gente precisa se encolher entre a parede e os arbustos e fechar os olhos. Não pode abrir, Claudia, porque senão você se assusta e estraga tudo. Essa é uma viagem muito delicada, precisa seguir as instruções. É que nem quando a gente saía de ônibus com a Tita Edu e ela repetia as instruções; a primeira que desobedecesse ganhava um beliscão. Eu vou te contando como é Azabahar, naquela estrela eu posso ver tudo perfeitamente, como antes do acidente. Eu te disse que lá éramos princesas, a mamãe era rainha, e a Tita Edu era a fada madrinha, mas me enganei, parece que entendi mal a minha anjinha; lá as pessoas humanas, os seres mágicos e os animais são iguais. Todos precisam ser cumprimentados com reverências, como te ensinei. Vou te contar como são as paisagens com palmeiras e as praias naquele país, as cores vivas, a cidade de cristal, as cascatas de orchata e água da Jamaica; os arco-íris e o céu, que não é azul, mas rosado e às vezes amarelo; as piscinas cheias de sorvetes que a gente pode comer sem pagar, porque lá as coisas são de graça; os bichos de todos os tipos que são mansos, porque ninguém mexe com eles, e eles nunca têm fome; a música e o circo imenso onde a gente pode voar nos trapézios e montar nos elefantes e ninguém tem medo, porque lá, se a gente cai do trapézio, fica flutuando no ar que nem balão.

Ninguém vai tirar a Didi da gente, nunca mais, Claudia. A dona María se zangou à toa, porque ninguém tem culpa de molhar a cama, foi o que a miss Selena disse lá no albergue e aqui neste lar adotivo é a mesma coisa. A dona María não tinha o direito de tirar a Didi da gente, eu expliquei direitinho, não é justo, e eu disse que, se não devolvesse, eu ia chamar o Frank, que é meu advogado. Ela quase me bateu, estava a fim de me bater, mas se arrependeu e, em vez disso, me trancou no guarda-roupa. Foi por pouco tempo e não me deu medo. O guarda-roupa está cheio de coisas bagunçadas e cheira mal, porque também guardam lá uns tênis nojentos. Fora o mau cheiro e a falta de ar, não me importei com nada. Você já sabe, Claudia, que a escuridão não me dá medo, por causa dos olhos, mas eu fiquei chateada porque ela não me entregou a Didi. Eu disse que da próxima vez ela deve castigar as duas juntas. A dona María não gostou nem um pouco, disse que eu estava gozando dela.

A miss Selena falou com a dona María sobre a história do guarda-roupa e eu consegui ouvir tudo, mesmo elas fechando a porta e falando baixinho. A dona María disse que fazia muitos anos que estava nesse trabalho e nunca tinha cuidado de uma guria tão insolente como eu, que, além de cega, tinha problemas mentais, que eu não era normal. A miss Selena respondeu que nada é normal na minha vida. Nisso ela tem razão. Depois a miss Selena me pediu pra fazer um esforço de ser obediente com a dona María, que tem muito trabalho com as crianças que cuida. Além disso, por causa da história do vírus que anda no ar, ela não tem ajuda, não pode ser mandada a garotada pra creche e pra escola; nem ao parque ela pode levar as crianças, porque está fechado. Por isso fica nervosa, mas não é má pessoa. Isso quem disse foi a miss Selena, que não a conhece.

Também ouvi que vão me levar a uma psicóloga. Eu sei o que é isso, porque eu fui a uma psicóloga quando sofremos o acidente. É como uma professora, não é um médico, não vai me examinar nem aplicar injeção. Eu vou com a miss Selena e posso levar a Didi; você também vai comigo, Claudia. Nada de chorar. Temos que ficar tranquilas. Não estamos perdidas. O vento sabe o meu nome e o teu também. Todo mundo sabe onde nós estamos. Eu estou aqui com você, sei onde você está e você sabe onde eu estou. Viu? Não precisa ter medo. A mamãe pode nos encontrar, é só ela perguntar à miss Selena ou à Tita Edu por telefone. Também não precisa se preocupar com a anjinha. Ela sempre sabe onde nós estamos e nunca vai pra longe.

Leticia

Berkeley, março-junho de 2020

Como todas as manhãs, menos as de domingo, Leticia passou pela confeitaria Brunelli para comprar um capuccino para si e outro para Mister Bogart. Lembrou ao balconista que um deles precisava ser descafeinado; tinha tomado essa decisão sem consultar o patrão, porque a cafeína lhe dava taquicardia. Achava que, sem seus cuidados, aquele homem já estaria debaixo da terra. Quando enviuvou, ele desabou, não queria comer, mal engolia as papinhas de legumes e as canjas que ela lhe preparava, tudo orgânico. Aquela foi a época em que, no patamar da escada, ele via Nadine, sua esposa, e umas mulheres com vestidos antiquados, as damas de vida airada que exerciam seu ofício naquela casa muitos, muitos anos atrás. Mister Bogart as descrevia para Leticia com tantos detalhes e era tão convincente, que ela começou a vê-las também, embora não acreditasse em fantasmas. Se existissem, ela seria visitada por todo um povoado.

Era fácil imaginar que na casa de Mister Bogart houvesse almas penadas; ela era grande, escura, com cômodos fechados, muita madeira e pouca luz, gemia porque lhe doíam as articulações e às vezes, quando a pressão da água variava, o encanamento soluçava. Fazia vinte anos que Leticia a limpava, portanto a conhecia melhor que ninguém, sua vassoura e seu espanador tinham passado por cada canto, menos no sótão. No começo, a casa lhe parecia muito feia, mas com o tempo chegou a gostar dela. Se pudesse, Leticia a pintaria com cores claras, o que lhe daria certo ar juvenil, e jogaria metade dos móveis no lixo, pois eles estavam tão decrépitos como a casa, principalmente os tapetes puídos que, segundo o patrão, eram antigos e muito valiosos. Tinham sido comprados numa viagem à Turquia. Leticia tinha certeza de que ele havia sido logrado. Não entendia como o tinham convencido a comprar tapetes sujos, quando em tantos lugares se vendem tapetes novos.

Nadine e as senhoritas de vida airada se desvaneceram quando Mister Bogart começou a tomar um antidepressivo, que o trouxe de volta ao mundo dos vivos. Mas ele só voltou à normalidade quando Paco chegou para salvá-lo. Leticia encontrou o cachorro escarafunchando o lixo de um beco perto de sua casa, tão magro e sarnento que sobreviveu por milagre. Era uma mistura de meia dúzia de vira-latas, com cara de hiena, mas de índole pacífica, como Gandhi; nada o alterava. Deu-lhe um banho e, tão logo suas feridas sararam, levou-o ao viúvo para ajudá-lo no luto. Em pouco tempo, o homem e o cachorro se tornaram inseparáveis.

Mister Bogart esteve casado durante mais de cinquenta anos, e a doença de sua mulher foi tão rápida, que ele não teve tempo de se preparar para a viuvez. Era muito fechado em relação a seus sentimentos, mas Leticia adivinhava que ele havia amado muito a mulher, pois de outro modo não a veria. Sabia que os fantasmas rondam os velhos dementes com frequência, mas seu patrão estava totalmente lúcido. Ela havia trabalhado durante algum tempo numa casa de repouso de idosos, onde constatara que, no final da vida, quando a solidão se apodera das pessoas, os mortos vêm visitá-las. Supunha que os mortos também estão muito sozinhos. Mister Bogart via a mulher por amor, mais que por solidão; o amor ocorre em qualquer idade, pensava Leticia, isso ela comprovara na casa de repouso, onde havia um casal apaixonado de noventa e tantos anos. Passavam o dia juntos, olhando-se nos olhos, calados e felizes, mas não podiam casar-se, porque os filhos não queriam problemas com a herança da senhora, que tinha alguns bens. Em vista disso, Leticia improvisou uma cerimônia para casá-los poeticamente: vestiu-se de preto e se apresentou como oficial do registro civil. Todos se emocionaram com a solenidade de seu discurso, os idosos ficaram felizes, e os filhos nem souberam.

Não só a cafeína, mas também as notícias costumavam causar taquicardia em Mister Bogart; por isso, Leticia sempre lhe dava o remédio antes de ligar a televisão. Desde que aquele presidente ocupava a Casa Branca, o patrão andava nervoso. Não era o único; em Berkeley quase todos estavam assim, menos ela, que não dava a mínima para a política, porque, fosse lá quem estivesse mandando em cima, nada mudava para os que estavam embaixo ganhando a vida a duras penas. Era como ela havia ganhado o pão, lavando pratos em restaurantes ordinários, cuidando de crianças e velhos alheios, dando banho em cachorros, vendendo ovos e queijos de porta em porta, e outras ocupações mais pesadas e mal pagas do que a atual, pois agora podia escolher fregueses e cobrar por hora seus serviços de limpeza.

Às sete e meia da manhã, Mister Bogart esperava Leticia na cama, com Paco roncando a seus pés. No momento de sua chegada, ele já abrira a janela, inclusive no inverno, para ventilar o cheiro de cachorro, embora ela desconfiasse de que se tratava de cheiro de velho, porque Paco não cheirava mal. O quarto era grande e lúgubre, como o restante da casa, e pareceria uma caverna se Leticia não gastasse com flores para os vasos. Quando ela chegava, ele se sentava numa poltrona tão deteriorada como o restante do mobiliário, e os dois tomavam café juntos, vendo notícias. Depois ele tomava uma ducha e se vestia sem ajuda, porque a ideia de que ela o visse nu o apavorava. Leticia lhe sugerira mais de uma vez que relaxasse, porque no futuro ela teria de lhe limpar o traseiro. "Pode ter certeza de que, quando esse dia chegar, eu vou me suicidar", era a resposta do patrão. A não ser pela taquicardia e pela pressão alta, o homem estava sadio e bonito para seus 86 anos; até cabelo ainda tinha. Era asseado e cuidava da aparência, andava bem barbeado e bem vestido, como se fosse tirar fotografia; tinha manias e modos de cavalheiros à antiga. Frequentava academia, remava em seu caiaque na baía e andava de bicicleta. Leticia temia que a qualquer momento ele quebrasse o espinhaço num tombo; havia rogado que, se a questão era fazer exercício, ele instalasse uma bicicleta ergométrica em algum dos quartos vazios, mas ele não lhe dava atenção. Depois das notícias, não se viam até o dia seguinte; ele fazia exercício, saía ou preparava suas conferências e seu programa de rádio, ela terminava a limpeza e, às dez, ia para os outros fregueses.

Certa amanhã, Leticia viu na porta da cafeteria o primeiro indício daquilo que mudaria sua vida e a do restante do mundo. "A partir de amanhã a Brunelli permanecerá fechada até nova ordem por motivo da covid-19." Fazia vários dias que o vírus era o assunto predominante na imprensa, mas ela não o levara a sério até aquele momento.

— Esses são os últimos capuccinos da Brunelli por algum tempo, Mister Bogart — anunciou ela. — Vamos precisar encomendar uma máquina de fazer café.

Ligaram a televisão e ficaram sabendo que na Califórnia haveria toque de recolher a partir do dia seguinte à meia-noite; ninguém podia sair, a menos que tivesse um emprego indispensável; o restante das pessoas teria de trabalhar em casa. A peste havia começado na China e se disseminara rapidamente pelo planeta, deixando um rastro de doentes graves e cadáveres no caminho. Quase de imediato o celular de Leticia começou a tocar, e um após outro seus clientes avisavam que estavam suspendendo seus serviços. Ela calculou que, se aquela emergência se prolongasse, precisaria lançar mão de suas parcas economias. Quem também ligou foi Alicia, sua filha, que morava numa base militar ao sul da Califórnia. Seu marido era tenente da marinha, e ela era auxiliar de enfermagem. "Aqui se cumprem ordens, mãe, estamos mais seguros do que em qualquer outro lugar, fique tranquila", disse.

A proibição de sair caiu como uma paulada sobre Mister Bogart, acostumado a suas inalteráveis rotinas; não poderia ir à academia, dar suas conferências nem se reunir com seu quarteto, como fazia toda semana. Também não poderia ir passar a meia-noite em um dos clubes de São Francisco ouvindo e tocando jazz. A idade não lhe subtraíra nem um pingo de energia quando se tratava de sentar-se ao piano numa *jam session*. A única coisa que ele podia fazer em casa era gravar seu programa para a rádio de música clássica.

— Suponho que não vai me abandonar... — disse a Leticia.

— Acho que não devo continuar vindo, Mister Bogart. Imagine se trago o vírus, na sua idade seria fatal.

— De alguma coisa se há de morrer.

— Por precaução, meus fregueses já cancelaram o meu serviço. A história do vírus não é brincadeira.

— Se vamos ficar de quarentena, você deveria ficar aqui conosco.

— Nesta casa?

— Ué, mulher, nesta casa, sim. Seria só por duas ou três semanas, esta situação não pode durar mais. Paco e eu vamos morrer de tédio aqui fechados. E o que vamos comer? Eu não sei cozinhar nem ovo.

— O senhor sabe que eu tenho trabalho em outros lugares.

— Mas você não acaba de dizer que as outras casas cancelaram? Pago mais, e você vai ter grande parte do dia livre. O que acha?

— O que o senhor quer não é limpeza e comida, mas companhia, não?

— Isso. Aqui você vai ter comodidade. Imagine o que seria ficar sozinha na sua casa móvel; seria como estar incomunicável numa cela.

— Minha casa é pequena, mas muito acolhedora.

— Diga que sim, Leticia!

— Eu precisaria trazer o meu louro Panchito...

— Sem problema. Seja bem-vindo o Panchito.

Leticia foi buscar o necessário: Panchito, roupa, tricô, vitaminas e o romance do clube de leitura que estava lendo. Ao voltar, passou pelo supermercado e encheu o porta-malas de víveres para duas semanas. Encontrou Mister Bogart pronto para levar o cachorro passear — ainda era permitido — e muito entusiasmado com a ideia de morarem juntos. Sugeriu que, se desse certo, eles poderiam tornar a situação permanente. "Claro que chegaríamos a um acerto justo de salário", repetiu. "Nem louca", respondeu ela, achando que não lhe convinha ser empregada para todo serviço em horário integral; teria de suportar os inconvenientes de estar casada com um velho sem nenhuma das vantagens, se é que haveria alguma vantagem nisso. Mister Bogart não se ofendeu, mas se preparou para insistir até dobrá-la e, para tentá-la, ofereceu-lhe o melhor aposento, com saída para o jardim e banheiro privativo, onde antes era o ateliê de sua mulher. Ainda estavam lá seu tear favorito e algumas de suas tapeçarias. Leticia se instalou rapidamente, disposta a usufruir de longos banhos de banheira e ver televisão até de madrugada. Estava fissurada numa telenovela brasileira de 240 capítulos, dublada em espanhol.

Camille, a filha de Mister Bogart, ligou por volta das quatro da tarde, que eram sete para ela em Nova York. Queixou-se de que, por culpa da pandemia, ninguém podia ir ao escritório – ela era diretora de uma revista de moda – e desfiou o rosário completo de suas desgraças: teria de planejar o próximo número da revista em casa, o evento para arrecadar fundos para o balé tinha sido cancelado, seu salão de beleza estava fechado, os restaurantes também, comprar comida em recipientes de papelão lhe parecia uma vulgaridade, e o que fazer sem a filipina que limpava seu apartamento de cobertura? Não perguntou ao pai como ele estava. A relação de ambos era tensa.

Num momento de maior frustração, Mister Bogart comentara com Leticia que Camille só se interessava por dinheiro e posição social, que não parecia filha dele nem de Nadine LeBlanc. Também não tinha boa opinião sobre Martin, filho de Camille, seu único neto. "É mais fascista que Mussolini", disse, e ela precisou fazer uma busca sobre esse nome na internet. Leticia também não engolia aquele neto, mas achava que não devia ser nenhum tonto, visto que, sendo tão jovem, já era assessor do presidente. Essa era uma razão a mais para o avô não gostar dele. Leticia o conhecia desde pequeno e o tinha visto pela última vez no enterro de sua avó Nadine, quando ele tinha mais ou menos 28 anos e já estava calvo, como Mussolini. Fazia cinco anos que não visitava o avô.

O pai de Martin, que, segundo Mister Bogart, era um vigarista, tinha feito dinheiro em negócios de muita visão e pouco escrúpulo e, quando se divorciou de Camille, deixou-a em ótima situação. Martin cresceu num edifício com porteiro em Manhattan e frequentou os melhores colégios e universidades particulares, onde se destacou desde a adolescência pelo racismo fanático e pela postura ultraconservadora, que em geral caíam mal entre seus colegas e professores. Em vez de sofrer com isso, Martin se gabava da animosidade que provocava na maioria das pessoas, já que sempre contava com um grupo de fiéis seguidores. Tinha prazer em humilhar seus opositores, era um jogo em que sempre saía ganhando.

Mister Bogart tentava se lembrar do menino que Martin tinha sido antes de se radicalizar; era inteligente e vivaz aquele guri com quem ele via filmes infantis na televisão e a quem ensinou a jogar xadrez aos cinco anos. Aos sete, Martin já ganhava dele. Montavam juntos quebra-cabeças e, para cada peça que ele colocava, o neto colocava dez. Durante as férias, quando Camille o mandava passar as semanas de verão com os avós na Califórnia, eles iam de barco pescar rodovalhos e esturjões na baía de São Francisco e passear de bicicleta pelos montes. O avô tentava estabelecer com o neto a relação que não pudera ter com a filha. Falava com Leticia daqueles tempos, perguntando-se que diabo tinha acontecido para aquele rapaz mudar tanto.

Ela também se lembrava com saudade do ano em que conheceu Martin, quando ele estava na pré-adolescência. Por alguns meses continuou sendo um menino normal, que devorava as panquecas que ela fazia. Assim que entrou na escola secundária, porém, transformou-se no personagem que seu avô não suportava. Ela tinha na memória o primeiro indício do homem que aquele menino viria a ser. Nadine dissera ao neto que levasse seu prato para a cozinha e, como resposta, ele o atirou ao chão e respondeu, altivo, que quem devia fazer aquilo era Leticia. Não era ela a empregada?

Leticia lamentava que Mister Bogart tivesse uma família tão pequena e que se desse tão mal. Afora seu quarteto, ele contava com poucos amigos, porque, ao enviuvar, descuidou das relações sociais que teve antes. Quando sua mulher estava viva, aquela era uma casa aberta, eles recebiam visitas com frequência, e Leticia aprendeu a cozinhar receitas picantes de Nova Orleans para a patroa exibir. Sem Nadine, aquele casarão ganhou ares de abandono, os amigos se afastaram, e Mister Bogart não fez nenhum esforço para retê-los, porque não sentia falta deles. Estava fechado em si mesmo. Talvez tivesse sido assim toda a vida, pensava a boa mulher.

Passaram-se dois meses da declaração de pandemia, e Leticia continuava instalada na casa do patrão. Nunca imaginou que o confinamento fosse se prolongar tanto. A primavera deixou-se cair com uma festa de flores e abelhas, embora os jardineiros não tivessem trabalhado durante todo aquele tempo, e o bom clima aligeirou um pouco o peso do ambiente. O vírus não dava sinal de afrouxar o torniquete, já havia mais de noventa mil mortos no país e centenas de milhares mais no restante do mundo, enquanto vários laboratórios competiam numa corrida desabalada para criar uma vacina. A pandemia transformou-se em arma política, uns a consideravam um engodo da oposição e negavam-se a usar máscaras, enquanto os outros seguiam as indicações do especialista em epidemias. À medida que se somavam mortos e os hospitais lotavam, o governo tentava diminuir sua importância ou recomendava tratamentos inverossímeis, como injeções de água sanitária. Leticia não tinha visto a filha e a neta pessoalmente, apenas por FaceTime a cada dois ou três dias, e perdera a freguesia, mas com o que ganhava com Mister Bogart podia pagar as contas, cobrir gastos pessoais, que eram poucos, e ajudar a filha. Quando se comparava com outras pessoas, sentia-se afortunada.

Durante aquele período, ela estabeleceu com o patrão uma rotina cômoda para ambos. Mister Bogart exigiu desde o primeiro dia que ela se sentasse à mesa com ele, nada de comer na cozinha, como antes.

— Quando vai me chamar pelo nome, Leticia? A gente se conhece há um século e você ainda me trata de Mister Bogart — disse.

— Nunca. É preciso respeitar as hierarquias; as familiaridades entre chefe e empregada costumam terminar mal — respondeu ela.

Sabia que Bogart não era o nome dele, mas apelido dado por sua mulher desde o primeiro encontro, porque na juventude ele se parecia com Humphrey Bogart – a mesma expressão desiludida e o chapéu de lado –, ator tão antigo, que Leticia nunca tinha ouvido falar daquele nome. Descobriu depressa, por ter visto *Casablanca* várias vezes na televisão, a pedido do patrão. No começo, resistiu, porque o filme era em preto e branco, mas logo ficou viciada e pedia para ver esse filme pelo menos uma vez por semana. Sabia vários diálogos de cor e, para alegrar o velho, declamava-os com dramatismo exagerado. Tentava imaginar como seria Humphrey Bogart aos oitenta e tantos anos, mas o ator não chegou a ficar velho, morreu aos 57 de tanto fumar, muito antes que ela nascesse. Seu patrão se chamava Samuel Adler, mas seria sempre Mister Bogart para ela.

Nadine, esposa de Mister Bogart, não tinha acreditado que morreria, embora o diagnóstico fosse arrasador; portanto, não se preparara. Leticia dispunha de muito tempo ocioso e decidiu empregá-lo na arrumação do caos que ela havia deixado. O viúvo a impedira de fazer isso antes. "Quando eu me sentir pronto, Leticia, vou lhe dizer, e aí você pode fazer o que quiser com as coisas da minha mulher", dissera ele. Impediu com firmeza que a filha tocasse no que a mãe havia deixado, mas, por trás dele, Camille levou o que quis.

— O tédio deste isolamento me obriga a pensar. Eu preciso pôr ordem na minha vida e nesta casa antes de partir — comentou com Leticia.

— Por que está pensando nisso? Bem cuidado, o senhor vai durar até os cem anos.

— Você vai cuidar de mim?

— E quem mais seria? Para se manter jovem de espírito, o senhor precisa de um pouco de romance, nunca é tarde para isso.

— Que bobagem, mulher! — exclamou ele, soltando uma risadinha.

— Bobagem nada. O senhor pode conseguir uma amiguinha em forma. Se quiser, eu posso ajudar nisso. O senhor deve ser o octogenário solteiro mais cotado da Califórnia, tem poucos achaques, boa presença, a cabeça no devido lugar e dinheiro.

— Você sabe quanto dinheiro eu tenho? — perguntou ele.

— Não, mas eu sei que não falta. Há um monte de mulheres idosas em busca de um companheiro e pouquíssimos velhos disponíveis que sejam capazes de unir duas frases e não usem fralda. Os poucos que sobram querem mulheres trinta anos mais novas, mas esse não seria o seu caso — disse Leticia.

— Uma mocinha não seria nada mal...

— Nem pense nisso. Vamos ser muito cuidadosos na seleção das candidatas, porque o que muitas querem é dinheiro. Perto da minha casa morava um veterinário de 75 anos com várias propriedades de aluguel, que caiu nas garras de uma pistoleira de cinquenta e, em menos de um ano, estava morto. A viúva herdou bastante. Dizem que o envenenou.

— Vai ser preciso esperar passar a pandemia para pôr esse projeto em andamento, Leticia. Antes de pensar nessa assassina hipotética, vamos dar um jeito nesta casa.

— Ou seja, o senhor me dá permissão...

— Dou, mas não jogue nada no lixo sem antes me perguntar.

— Prometo — respondeu ela sem a menor intenção de cumprir.

Entrou em ação, espantada com o tremendo rastro que cada pessoa vai deixando no mundo ao longo da vida. Nos armários de Nadine encontrou vestidos dos anos 1970, sapatos de plataforma e saias indianas com espelhinhos; naquele tempo ela se vestia de hippie, mesmo já sendo mãe de Camille, e começava a ganhar reputação com seus teares. Leticia pôde seguir sua pista em cada época por meio das roupas que ia tirando dos armários, muitas roídas pelas traças. Na década de 1980, nada restava do estilo boêmio de Nadine, que então já era uma artista reconhecida e vestia-se como homem. Leticia encontrou fotos dela de terno, gravata, óculos de aro preto e botas. Aos cinquenta anos, ela teve um breve interlúdio de saia curta, suéter ajustado e saltos altos, como se pretendesse parecer sexy ou agradar o amante da vez, mas em algum momento se cansou da moda e, nos anos seguintes, até a morte, adotou os jeans *délavés* e as camisas esportivas, que acentuavam seu aspecto de efebo, e o resultado era mais atraente do que os decotes provocativos da menopausa.

Dos armários e das gavetas, Leticia tirou remédios vencidos, cosméticos velhos e joias artesanais e étnicas; as valiosas Camille tinha levado embora no dia mesmo do enterro da mãe. Também encontrou diários e cartas que pretendia ler. Não achava que isso fosse indiscrição, porque o viúvo demonstrava pouca curiosidade por aquele material, talvez por não querer comprovar coisas de que suspeitava.

Os dias se tornavam longos, eram todos iguais, fundiam-se uns aos outros. "Hoje é como ontem e amanhã será como hoje", dizia Leticia com um suspiro. O patrão tinha encomendado a máquina de fazer capuccino, e o dia começava como antes, tomando juntos o primeiro café e vendo as notícias na televisão. Depois, ele se vestia e ia passear com Paco, usando máscara e luvas de borracha, enquanto ela fazia a limpeza. Iam juntos fazer compras; ele ficava na caminhonete, ela entrava no mercado, também de máscara e luvas. As pessoas se queixavam da falta de algumas coisas – farinha, desinfetante, leite em pó, papel higiênico. "Dá pra ver que nunca passaram apuros", ruminava Leticia. Almoçavam algo leve, em geral uma salada, e à tarde cada um se dedicava aos seus interesses, ele à música, aos livros e à bicicleta ergométrica, que finalmente tinha instalado num dos quartos, e ela à telenovela brasileira e a escarafunchar o passado daquela família, em especial o de Nadine, pelo qual estava obcecada, por pressentir que ele se conectava com seu próprio passado.

Mister Bogart teve a ideia de jantarem com formalidade, para não se transformarem em selvagens. Os colonos britânicos tinham adotado esse costume nas mais remotas possessões do império. Vestiam-se com rigor para comer lentilhas e ensopado de tigre debaixo de um toldo de lona, servidos por nativos de luvas brancas. Com frequência, porém, isso não impedira que eles se comportassem como selvagens. Ele se apresentava de paletó, e ela tirava o avental, punha brincos e pintava os olhos. "Está muito elegante, Leticia", dizia ele todos os dias, como um exercício de galanteria, "e o senhor também, Mister Bogart". Ela arrumava a mesa com uma toalha comprida, louça boa e taças de cristal; ele punha música de gosto popular, porque imaginava que ela não apreciava a clássica. Antes de jantarem, tomavam um trago, vodca com gelo para ele e diferentes coquetéis para ela: *piña colada*, cuba-libre, *bloody mariachi*, margarita de manga, martini de coco e outros que ele improvisava de acordo com a inspiração do momento. Nos tempos em que a família recebia visitas, havia um bar bem abastecido, e ainda sobravam várias garrafas de bebidas, que ela decidiu ir consumindo aos poucos, para não se estragarem. Aquela era a hora em que conversavam e assim iam se conhecendo. Leticia arrancava informações com prudência, porque, se demonstrasse curiosidade demais, ele se calava. Era homem de poucas palavras, mas, na segunda ou terceira vodca, ficava eloquente e começava a falar do passado e da sua mulher. Tinha saudades dela.

— Não acha que, de tanto pensar na dona Nadine, o senhor está inventando uma lenda? — perguntou Leticia.

— Todos temos direito de inventar nossa lenda.

— Eu não preciso inventar a minha, senhor.

Fazia muitos anos que Leticia trabalhava naquela casa e nunca tinha subido ao sótão. O acesso era complicado. Havia uma portinhola no teto do segundo andar; para abri-la, usava-se uma varinha de ferro com gancho na ponta, que puxava a sua maçaneta. Quando a portinhola se abria, caía uma escada telescópica. Como Leticia não tinha visto ninguém subir ali, na primeira vez puxou a maçaneta sem tomar cuidado, e a escada, ao cair, quase lhe parte a cabeça. Subir era difícil, porque os degraus eram uns paus fracotes e bambos. O ambiente era escuro, a não ser pela pouca luz do dia que se filtrava por duas claraboias pequenas, e ela demorou um bom tempo para encontrar o interruptor e trocar as lâmpadas queimadas. Era um espaço enorme e cavernoso, que abarcava a totalidade da casa, como outro andar. Nunca tinha sido limpo, a poeira se acumulava em todas as superfícies, e as teias de aranha se dependuravam das vigas como renda. Não viu ratos, mas percebeu que existiam pelas bolotas de excremento. Era um universo em si mesmo, cheio de tesouros e mistérios, onde se podia passar meses abrindo caixas, malas meio desfeitas pelo mofo, cômodas e guarda-roupas antigos. Havia brinquedos de Camille e do neto, várias árvores artificiais de Natal, meia dúzia de bicicletas em diferentes estados de decrepitude, artigos esportivos, teares de Nadine, enfim, tudo o que fosse imaginável. Leticia descobriu compartimentos secretos entre as vigas, que tinham sido destinados a guardar coisas de valor, onde encontrou uma coleção de objetos de prata em seus envoltórios originais: um jogo de chá, várias bandejas, candelabros, um faqueiro completo, inclusive com pinças para lagostas e garfinhos diminutos para escargot, cinzeiros, que ninguém mais usava, e molduras de diversos tamanhos. Mister Bogart explicou que tinha comprado aquela mercadoria com a mulher numa viagem ao México, mas, antes que ela chegasse, eles tiveram uma briga e se separaram. Quando chegou, ele estava morando sozinho na casa; pôs as caixas no sótão e se esqueceu delas.

— O que vamos fazer com tudo isso? Não posso passar o resto da vida polindo garfos de peixe — disse Leticia.

— Deixe onde está. Camille leva embora quando eu morrer.

Para Leticia, o mais interessante eram os diários, as cartas e as fotografias dos baús de Nadine. Ela dispunha de tempo e paciência para decifrar aquilo e conhecer a vida daquela mulher que tanto a intrigava. Lamentava não ter se atrevido a lhe fazer perguntas quando estava viva, porque Nadine gostava de relembrar e contar, mas ela achava que seu papel se limitava a limpar a casa, lavar a roupa e cozinhar, não podia perder tempo nem faltar ao respeito para com a patroa fazendo perguntas. Em sua ausência, porém, podia vasculhar sua história, já que o marido não o proibira. Só havia conseguido abrir uns dez por cento das caixas e baús e já descobrira muita coisa.

LeBlanc era o sobrenome de solteira de Nadine, que nunca usou outro. Segundo Leticia, o amor que o marido lhe dedicava tinha duplo mérito, porque se tratava de uma mulher muito pouco convencional. Ser esposa dá muito trabalho, pensava, mas se uma mulher comete a estupidez de se casar, tem de se ater a certas normas ou pelo menos manter as aparências. Nadine se lixava para as aparências. Era infiel por natureza e não fazia questão de esconder isso; deixava tal rastro de pistas, que qualquer um a apanharia. Além disso, ela lhe fizera algumas confidências, gabando-se de ser apaixonada, o que, para Leticia, não parecia uma virtude, mas uma desvantagem. Falou-lhe disso quando já não importava, porque na época sua idade já era bem avançada. Há uma idade para cada coisa, pensava Leticia, e a idade para fazer bobagens por tesão é a juventude; fazer isso na velhice é indecência, mas não lhe cabia julgar, cada um é dono de sua consciência.

Nadine lhe contara que o marido também tivera aventuras amorosas, mas fazia muitos anos, tinha ocorrido antes de Leticia entrar para seu serviço e disso não havia nenhuma prova irrefutável. Nadine, em compensação, tivera vários namorados, sobre isso Leticia não tinha dúvidas. Conheceu aquele que certamente tinha sido o último, Bruno Brunelli, o italiano dono da cafeteria e confeitaria que ostentava o nome do dono, com sucursal em Berkeley, em São Francisco e no aeroporto. Antes da pandemia, era lá que Leticia comprava o café de cada dia e ia continuar comprando quando a vida voltasse ao normal, porque não via nisso nenhum conflito moral. Brunelli pertencia ao passado, tinha ido viver os últimos anos de vida em sua aldeia natal na Itália e deixara o negócio nas mãos do filho.

Em um de seus diários, Nadine escreveu: "Esperei até a hora de fechar. Recebeu-me na cozinha. Deu-me para provar de sua boca a pasta de amêndoas e o creme de baunilha, fizemos amor em cima de uma bancada, cheguei em casa com açúcar de confeiteiro na roupa." "Ai, Nossa Senhora santíssima!", exclamou Leticia ao ler essas linhas, "a patroa já era bem velhusca quando se deixava comer alegremente entre os bolos do Bruno Brunelli."

***

Nos diários do sótão, Leticia ficou sabendo de outras "temeridades", como dizia a autora. A maior parte das anteriores a Bruno foram até que insignificantes, porque ela se limitou a identificar o felizardo com iniciais e algumas frases sobre o lugar e as circunstâncias do encontro, para não esquecer por completo, e, a julgar pela brevidade da descrição, houve poucos tão interessantes quanto o confeiteiro. Numa dessas anotações, Leticia viu as letras CT, e a data coincidia com a época em que Cruz Torres estava reformando a casa. Tinha tanta vontade de encontrar alguma coisa sobre si mesma ou sobre seu pai naqueles diários, que temia tirar conclusões sem nenhum fundamento, mas, junto às iniciais CT, Nadine havia anotado uma descrição sumária que podia corresponder ao homem que ela conhecia: "Forte, intenso, cabelo preto e duro, longa cicatriz num ombro, mãos calosas de operário, sussurra ao meu ouvido em espanhol, entendo pouco, temos em comum o desejo e o amor." Essas iniciais apareciam várias vezes nos diários de Nadine. Bem poderia ter sido Cruz Torres, que tanto a ajudara e a seu pai em tempos de penúrias e a quem ela devia o emprego na casa dos Adler.

Os reparos na velha casa de Berkeley se prolongaram por meses, pois no processo iam aparecendo novos problemas. Abriam um buraco aqui e arrebentava um cano ali, mudavam os ralos e desprendiam-se as telhas, substituíam os caixilhos das janelas e soltavam-se as portas. Nadine tinha dirigido as obras, enquanto o marido se dedicava às aulas e à música, sem o menor interesse pelo trabalho de Cruz Torres e de sua equipe; acreditava, com certa razão, que aquele casarão não tinha jeito, devia ser aceito como era ou demolido com uma escavadeira.

Durante aquele período, Leticia percebeu que, apesar das óbvias diferenças, o empreiteiro e Nadine LeBlanc mantinham curiosa amizade. Cruz Torres era pelo menos dez anos mais novo que ela, de outra classe social e de outra raça, sem nada do refinamento de Nadine. Encontrou-os muitas vezes na cozinha tomando café e conversando aos cochichos; calavam-se ou mudavam de assunto diante dela. Em certa ocasião, dois anos depois de terminadas as obras na casa, teve a impressão de vê-los através do vidro de um pequeno restaurante, de mãos entrelaçadas sobre a mesa. Quando ele foi deportado em 2008, Nadine começou a viajar ao México com certa regularidade.

Leticia calculava que, se Nadine LeBlanc e Cruz Torres tinham sido amantes, a aventura com Bruno Brunelli devia ter sido relativamente breve. Ela tinha 69 anos quando se despediu do mexicano e 72 quando Brunelli foi morar na Itália. A idade não teria impedido que ela atraísse um substituto, caso tivesse desejado. Era vistosa, atrevida, ágil, espontânea, com o cabelo grisalho alvoroçado, rugas de alegria e uma risada de corneta capaz de sacudir os mortos. Gabava-se de ter sangue francês, espanhol e africano, dizia que era mulata, e que no passado um ramo de sua família era negro e rico, mas, de tanto se casar com brancos pobres, tinha perdido a cor e a fortuna. Leticia se lembrava dela com saudade; ela era generosa e divertida, o oposto do marido, que andava pela vida com uma mochila nas costas, onde carregava as más lembranças e as dores do passado. Com infinito pesar, Leticia a viu declinar rapidamente e morrer de um câncer inexorável. Desde então os anos tinham transcorrido com tal velocidade, que Leticia ainda se surpreendia com sua ausência.

Ela e Mister Bogart cuidaram de Nadine na agonia. Ele largou tudo para acompanhá-la, aposentou-se da universidade e da Sinfônica, abandonou o caiaque e a bicicleta; passava dia e noite ao lado da mulher. Quando já não suportava a angústia, fugia por algumas horas para um dos clubes de jazz. Antes de Nadine ficar doente, Leticia limpava a casa duas vezes por semana, mas depois começou a ir todos os dias. Delegaram-lhe tudo. Nadine não podia fazer nada, e o marido não intervinha em assuntos domésticos; nas poucas vezes que foi à cozinha dar instruções, Leticia o fez dar meia-volta. Encarregou-se de pagar contas, cuidar de bancos, remédios, médicos e até enfrentar Camille, que estava sempre disposta a opinar, mas não se dava o trabalho de acompanhar os pais naquelas tristes circunstâncias. Mister Bogart estabeleceu a norma de entregar a Leticia o dinheiro do mês, sem nunca lhe perguntar em que o gastava, mas ela mantinha uma contabilidade meticulosa e guardava os recibos, para que ninguém pudesse acusá-la de ter desperdiçado nem um cêntimo.

Ao ir descobrindo os segredos do sótão, Leticia começou a interessar-se pelo restante da casa; aquelas paredes tinham sido o cenário onde transcorrera grande parte da vida de Nadine LeBlanc. Acreditava conhecê-la melhor que ninguém, mas nada sabia das origens daquela construção.

— Esta casa tem história — disse Mister Bogart. — Foi construída por um banqueiro como residência de verão quando se chegava aqui de balsa, vindo de São Francisco. Depois do banqueiro, ela foi ocupada pela dona de um cassino, e parece que nos cômodos de cima funcionava um bordel para homens proeminentes, que exigiam discrição.

Contou que por um breve período tinha sido usada como clínica psiquiátrica para celebridades de Hollywood intoxicadas por álcool e drogas. Pouco depois de comprada, transformara-se em refúgio dos desocupados que Nadine convidava, porque sobrava espaço, até que ele se cansou de manter a república de cabeludos ociosos, e eles se divorciaram.

— É mesmo? Se divorciaram? — perguntou Leticia, incrédula.

— Sim.

— E o que aconteceu com Camille?

— Quando acabou o dinheiro, os hippies foram embora, e Nadine partiu com a menina para a Bolívia.

— O que ela foi fazer na Bolívia?

— Estudar tecelagem. Na época já levava a sério a arte do tear. Ficou na Bolívia dois meses e depois foi para a Guatemala. Lá os têxteis são espetaculares.

Contou que sua mulher se apaixonou por aquele país e manteve contato com as aldeias onde esteve, várias das quais exterminadas pouco depois pelo genocídio do governo e dos militares contra a população maia, que deixou um saldo de duzentas mil vítimas, um milhão e meio de pessoas desalojadas e seiscentas e tantas aldeias apagadas do mapa. A maioria das mulheres que foram suas professoras morreram assassinadas com as respectivas famílias e comunidades. Na década de 1990, Nadine tinha ido visitar de novo a Guatemala e desde então se dedicara a promover os tecidos e os teares daquele país, colocava-os em lojas exclusivas e galerias de arte e mandava todos os ganhos para as tecelãs.

— Fui buscá-la na Guatemala. Eu tinha certeza de que, sem os vagabundos que viviam às minhas custas, nós podíamos recomeçar. Deu certo. Nós nos casamos de novo. Não seria a última vez.

— Vamos ver, mister, explique-se — pediu Leticia.

— Nadine e eu nos casamos três vezes. As duas primeiras foram num registro civil, e na última simplesmente renovamos os votos. Em cada ocasião entramos em acordo para as novas normas da relação.

— Nunca se apaixonaram por outras pessoas? — perguntou Leticia.

— Sim, mas tínhamos investido tanto em nossa relação, que valia a pena tentar salvá-la. Olha, Leticia, a gente muda, e os casais também. Nadine e eu vivemos várias etapas diferentes. A primeira foi para formar uma família e terminou com a história dos hippies. Na segunda, nós dois passamos por crises existenciais e optamos por um casamento aberto; foi um desastre. Na terceira etapa ela estava dedicada à sua arte, e eu, ao meu trabalho e descuidamos da relação. Já estávamos em idade bastante avançada quando finalmente tivemos estabilidade.

— E amor, imagino, não?

— Muito amor de minha parte. Nadine era uma mulher fantástica. Você se lembra?

— Claro que sim. Eu me lembro que fizeram uma festa e uma cerimônia no jardim e depois viajaram para a Argentina. Isso deve fazer uns quinze anos, não?

— Sim, essa foi a última vez que renovamos o compromisso de estar juntos.

— Se a dona Nadine não tivesse morrido, já haveriam de se casar de novo.

— Sem dúvida, Leticia. E você? Nunca lhe perguntei se tem um namorado...

— Tive três casamentos, dois divórcios e um luto. Os dois primeiros maridos não contam. O terceiro foi o verdadeiro amor da minha vida, o pai de minha filha, mas o destino o roubou de mim cedo demais. Morreu de repente, num museu.

— Não sabia que você era viúva — comentou ele.

— É esse homem que amo até agora e vou amar até morrer.

Nas semanas seguintes, à medida que penetrava nos diários de Nadine, Leticia foi se familiarizando com o estilo e pôde decifrar melhor as anotações. Então desconfiou que as iniciais dos últimos quinze anos de sua vida não correspondiam a nenhum amante fugaz, como supusera, mas eram códigos. Sobressaltou-se ao descobrir que mesmo as descrições de seu trabalho eram códigos: cada cor mencionada correspondia a algo que nada tinha a ver com tecelagem. Muitas vezes as iniciais CT acompanhavam a cor amarela. Entre as pastas onde Nadine tinha centenas de desenhos e amostras de lã para seus projetos, que no início ela havia visto por alto, encontrou recortes de jornal e páginas arrancadas de livros sobre imigração ilegal. Sabia que aquilo interessava Nadine, que ela contribuía com dinheiro e trabalho voluntário para o Santuário do Leste da Baía, grupo instalado no porão de uma igreja, que ajudava as pessoas em situação irregular. Imaginou que os códigos tinham relação com aquilo.

Dominada pela curiosidade, Leticia ligou para Cruz Torres no México. Fazia dois anos que não conversavam, mas na primeira palavra ele reconheceu sua voz. Tinha setenta anos e fazia doze que estava de volta no México, instalado em Puebla, onde abrira um pequeno hotel para turistas de poucos recursos com o dinheiro que economizara nos muitos anos de trabalho nos Estados Unidos. Ao emigrar para o Norte, quando era jovem, tinha deixado a esposa no México e sempre a sustentara de longe; com ela tinha três filhos. Ia vê-la de vez em quando, mas, à medida que a travessia ilegal da fronteira se tornou mais difícil, as visitas se espaçaram. Na época em que foi deportado e voltou definitivamente para seu país, a esposa tinha morrido. Cruz vivia com uma das filhas, com quem administrava o hotel.

Depois de se atualizarem sobre as respectivas vidas, Leticia lhe contou que, por fim, cinco anos depois da morte de Nadine LeBlanc, ela estava organizando o que a patroa deixou.

— Peço perdão, dom Cruz, espero não o ofender, mas vi cartas e diários que dona Nadine deixou, o senhor é mencionado...

— Você sabe que éramos amigos.

— Mais que amigos, certo?

— Isso não é pergunta que se faça. O que você quer saber?

— Ela ajudava os imigrantes. Falei com a freira do Santuário em Berkeley, ela me contou algumas coisas. Não pude ir vê-la pessoalmente, mas vou assim que essa história do vírus acabar.

— Fico feliz em saber que a irmã Maureen está viva. Aquela irlandesa é indestrutível. O que ela disse?

— Que a dona Nadine levou gente lá, que transportava imigrantes da fronteira, que escondeu famílias inteiras quando faziam batidas policiais. Acho que ela anotava nos cadernos as iniciais dessas pessoas, e as cores indicavam as circunstâncias de cada caso. O que o senhor sabe sobre isso?

— Acho que você tem razão, mas nunca vi esses cadernos — respondeu Cruz.

— Suas iniciais aparecem com a cor amarela.

— Eu passava gente de contrabando pela fronteira e entregava as pessoas perto de San Diego. Talvez essa cor indicasse o transporte.

— Não lhe parece estranho ela ter usado códigos? É como se a dona Nadine estivesse brincando de espionagem.

— Ela precisava ser muito prudente, Leticia, porque tinha nas mãos a identidade e o destino de pessoas muito vulneráveis.

— Onde o senhor a conheceu, dom Cruz?

— No Museu Mexicano de São Francisco, numa exposição sobre imigrantes. Eram sacos plásticos dependurados do teto com objetos recolhidos no rio, onde tantas pessoas, inclusive crianças, tinham morrido afogadas tentando alcançar a margem dos Estados Unidos. Nadine estava muito comovida com um sapatinho de bebê flutuando em água suja dentro de um saco. Começamos a conversar... Isso deve ter sido pelo menos um ano antes de me contratar para fazer os consertos na casa.

— Então ela foi iniciada pelo senhor na questão dos imigrantes, certo?

— Não. Ela já estava trabalhando com a irmã Maureen e me recrutou. Muitos daqueles migrantes eram da Guatemala. Nadine tinha laços afetivos e profissionais com aquele país, por causa dos teares. Protegeu muita gente. Era a isso que ela destinava seus ganhos.

— Ela agiu assim durante muitos anos, não entendo como o marido não soube — disse Leticia.

— Ela preferia que ele não soubesse, para evitar comprometê-lo, porque o que nós fazíamos era ilegal. Mas acho que ele não se interessava por nada daquilo, o interesse dele era pela música. Não há pior cego do que o que não quer ver, não é? — respondeu Torres.

— Imagino que foi por isso que o senhor foi deportado, dom Cruz.

— Não. Nada a ver com isso. Fui preso numa batida com outras pessoas. Eu tinha alguns problemas com a lei: uma intimação por dirigir alcoolizado, uma instalação de eletricidade sem licença, sonegação de impostos, coisas menores, mas suficientes para me pôr na fronteira. O que mais lamento é que não pude me despedir da Nadine quando ela ficou doente.

— O senhor acha que devo contar ao meu patrão o que dona Nadine fazia? — perguntou Leticia.

— Para quê? Deixe-o em paz. Ele ficaria triste se soubesse que sua mulher lhe escondia tantos segredos e nunca deixou que ele participasse de suas atividades. Acho que, desde o começo do casamento, ela admitiu que eles eram totalmente diferentes e deixou de lado a ideia de compartilhar preocupações com ele.

— Apesar disso, foram um bom casal — disse ela.

— Sem dúvida, já que continuaram juntos até o final.

A vida de Leticia e Mister Bogart se complicou quando ele teve a ideia de subir ao sótão, escorregou no segundo degrau da escada e se estatelou no chão, torcendo um tornozelo. Ficou estendido, sem ar, mais pelo susto do que pela pancada. Temendo que ele tivesse fraturado vários ossos ou sofresse um ataque, Leticia o arrastou a duras penas até a caminhonete e o levou ao pronto-socorro, onde ele foi recebido pelos profissionais da saúde cobertos da cabeça aos pés por macacões verdes, luvas, máscaras e protetores faciais de plástico transparente. Ela foi proibida de entrar e precisou se despedir quando ele foi levado numa maca, pálido como um lençol. Nas seis horas seguintes, enquanto eram feitas as radiografias de praxe e ele era mantido sob observação, ela, do estacionamento do hospital, acompanhava o caso falando com ele pelo celular, até a bateria acabar. O tornozelo inchou, mas os ossos estavam intactos. O único tratamento era repouso e analgésicos, como disse o médico, mas ela também lhe fazia massagens com uma pomada de cânabis.

— É assim que agora chamam a maconha, que frescura! Tira a dor e aqui é legal, não preciso conseguir com traficantes — explicou ao paciente.

Não lamentava o ocorrido, porque assim poderia se esbaldar no sótão sem a vigilância dele.

Mister Bogart já não podia passear com Paco, sua única saída a pé antes de levar o tombo; também não podia pedalar na sua bicicleta ergométrica nem dirigir a caminhonete, de modo que coube a Leticia virar motorista e levar o cachorro a passear, além de ser dona de casa e dama de companhia.

— Passamos tanto tempo juntos, que é um milagre nos suportarmos um ao outro. Esta lua de mel com você é a mais longa da minha vida — brincou ele. — Pelo andar desta pandemia arrastada, vamos continuar trancados para sempre. Por mim, não estaria nada mal...

— Como está o tornozelo? — interrompeu ela.

— Do mesmo jeito. E você está proibida de falar disso com a Camille, porque anda pairando no ar a ideia de que eu deveria estar numa casa de repouso. Se ela soubesse que eu caí, aproveitaria para me pressionar. Tem a intenção de vender esta casa; a universidade fez uma oferta, quer o terreno e paga uma fortuna. Mas daqui só vou sair no caixão, ouviu? Você vai cuidar de mim até o final, você é jovem e forte — disse.

— Sim, mas não posso defendê-lo da sua filha. Que autoridade eu tenho? Camille pode declará-lo incapaz.

— Não tenciono ficar demente e acabar num asilo para velhos lunáticos, sentado à espera da morte e comendo gelatina — ruminou ele, e ambos caíram na risada, imaginando aquela possibilidade. — Sabe, Leticia? Você é a pessoa mais alegre que eu conheci, tudo é motivo de diversão para você, cozinha cantando e passa aspirador em ritmo de rumba.

— Assim somos nós, os salvadorenhos. Antes diziam que El Salvador era o país do sorriso, mas imagino que desde a guerra civil andar sorrindo caiu em desuso.

— Você deve ter uma boa vida.

— Não me queixo, porque vivo em paz, mas nem sempre foi assim.

— Quanto tempo faz que nos conhecemos? — perguntou ele.

— Vinte anos. Quem me trouxe foi Cruz Torres, o construtor que consertou a casa. Eu era jovem quando comecei a trabalhar com o senhor e a dona Nadine.

— Você ainda é jovem.

— Estou bem para meus 47 anos, não é mesmo? Nós envelhecemos melhor que os brancos — respondeu ela, brincando.

— Certo, mulher. Sei que você anda vasculhando as coisas de Nadine. O que anda procurando? — perguntou ele.

— Nada, não se preocupe. Estou dando um jeito de limpar. O senhor nem se lembra do que há no sótão, um monte de cacareco lá cima. Acho que é ali que moram as damas da noite que o senhor via por todo lado. Lembra?

— Diga a elas que desçam, aqui ninguém vai incomodá-las. E que tragam Nadine também.

Anita

Tucson, abril-junho de 2020

O albergue era melhor. Não gosto dessa história de lar adotivo. Acho que este outro é pior que o da dona María, porque aqui só tem meninos, e muito mal-educados. Vivem brigando e não sabem nem dizer obrigado. São muito grosseiros, esses moleques. A Tita Edu dava um jeito neles em menos de uma semana, isso é certo. Além disso, aqui eu preciso falar inglês. Já estou cansada de inglês, é como se a gente tivesse um trapo na boca. Você não quer falar nem em espanhol, também não quer comer. Até quando, Claudia? Você já não é bebê, está grande. A dona María mandou a gente embora por causa dos teus berreiros. Você quer que a gente acabe pedindo esmola na rua? A verdade é que a dona María tinha pouca paciência e não ia com a minha cara. Acho que me odiava. Não mandaram a gente embora por tua culpa, Claudia, você é uma menininha muito tranquila. Foi bom sair de lá.

A psicóloga falava espanhol e não quis que a miss Selena entrasse na sala comigo. Me emprestou uns bonequinhos pra brincar um tempo, mas eu expliquei que aquilo era pra criança pequena e eu vou fazer oito anos. Ela disse que então a gente só ia conversar. Perguntou pela Didi, por você, pela vida que tínhamos antes e da mamãe. Também perguntou do lar da dona María e de molhar a cama e da história do guarda-roupa, mas eu não fiquei fazendo fofoca sobre isso, não sei como ela soube. Precisei contar da Geladeira e de quando levaram a mamãe e me agarraram à força e, por mais que esperneasse e gritasse sem parar, me puseram dentro do ônibus. Não gosto de me lembrar disso, porque me dá vontade de chorar. Não é bom chorar com as psicólogas, isso eu aprendi antes, quando ia à psicóloga da escola. Elas ficam nervosas. Depois a miss Selena me disse pra não me preocupar, que iam me mandar pra outro lar.

Mas deste lar novo eu também não gosto, se bem que a dona é melhor que a dona María. Disse que a gente ia se dar muito bem, que ela sempre quis ter filhas, mas Deus não deu, que eu ia ser como filha dela. Expliquei que não pode ser, porque tenho uma mãe de verdade. Não posso chamar de mãe outra pessoa. Também não posso chamar de tia, porque isso não se usa aqui. Ela me deu permissão pra chamar de Susan, se bem que pra mim isso soa um pouco confiado demais. E o marido dela não é pra chamar de pai nem de tio, mas de mister Rick. É por respeito, só isso, pra ele não ficar zangado. E pra aqueles moleques que não são meus irmãos, melhor não falar nada.

Estes comprimidos cor-de-rosa são pra mastigar e engolir, porque são de vitamina. Não são nojentos. É só fechar os olhos e imaginar que têm gosto de pirulito de morango ou de bala. A Susan diz que eu preciso comer mais e tomar as vitaminas, porque estou muito magra e assim não vou crescer. Não é culpa minha se a comida tem gosto esquisito. A Susan disse que nunca tinha visto ninguém que não gosta de sanduíche e que vai procurar uma receita de *pupusa* na internet, mas acho que não vai fazer isso, porque não tem tempo e não sabe cozinhar, só sabe fazer sanduíche. Disse que as vitaminas são necessárias, mas vacina foi só uma vez, quando eu cheguei aqui no Norte; não têm que me vacinar de novo. Ela me dá o comprimido e fica olhando até eu engolir, e preciso abrir a boca e mostrar que não escondi debaixo da língua. Como e que vou esconder? É tão grande.

Tenho que fazer o que as professoras dizem no Zoom, porque não se pode ir à escola. É por causa do vírus. As escolas estão fechadas e todas as crianças têm que estudar em casa, por isso os moleques que não são meus irmãos estão o dia todo aqui, atormentando. A Susan não consegue controlar esses meninos, eles fazem o que querem, não estudam nada, passam o tempo jogando videogame e vendo televisão. Só se comportam bem quando mister Rick chega, porque é a ele que têm respeito. Mister Rick é a autoridade nesta casa. Comigo ele tenta ser amável, mas não consegue.

Eu não enxergo muito no Zoom, ou melhor, não enxergo quase nada, mas consigo ouvir o que a professora diz. As lições são para crianças pequenas. Eu expliquei à Susan que sou um pouco cega, mas não sou ignorante, posso entrar numa classe para crianças da minha idade. Entendo bastante o inglês. A miss Selena vai precisar acertar essa questão, porque no momento não estou aprendendo nada, estou perdendo tempo.

Mister Rick trabalha no correio e por isso sai todos os dias. Algumas pessoas podem sair pra trabalhar, mas de máscara. O correio é como o caminhão de lixo e a ambulância do hospital, precisa estar funcionando sempre. Mister Rick tem um cheiro esquisito. Antes do acidente, eu não prestava atenção no cheiro das pessoas, só se fossem muito fedorentas, mas agora consigo reconhecer cada um pelo cheiro. Por exemplo, quando ponho a roupa na máquina de lavar, sei de quem é cada camiseta. Todos esses garotos cheiram mal, mas não todos do mesmo jeito, cada um é diferente. A Tita Edu dizia que eu estava ficando que nem cachorro e podia procurar emprego no aeroporto pra prender quem anda com drogas. Algumas pessoas têm cheiro alegre ou bondoso, outras têm cheiro de ruindade. A Susan tem cheiro de paciência e também de tristeza. Mister Rick tem cheiro de coisa queimada no fundo da panela. Pode ser o cheiro do correio.

A minha anjinha me explicou que é invisível e às vezes é bem difícil ficar visível, mas que eu não preciso me preocupar, porque ela sempre anda por perto e sabe que eu quero ficar com a mamãe. Está trabalhando nisso, como o Frank. Me deu uma ótima ideia pra tristeza. Disse que, em vez de chorar, eu podia ficar invisível. Isso também é bem difícil. A gente precisa se concentrar com bastante força. É a mesma coisa que ela faz pra ficar visível, mas ao contrário. Claudia, eu vou te ensinar, e nós vamos praticar juntas quando estivermos sozinhas.

Essa história de invisibilidade é bem útil, porque serve pra muita coisa. Por exemplo, quando esses moleques que não são meus irmãos começam a atormentar, em vez de brigar, que não dá certo porque eles são maiores, a gente pode se concentrar e ficar invisível, então eles não podem fazer nada. Também serve quando a gente não quiser falar com ninguém, ou quando estiver assustada.

Mas nunca, nunca, se deve usar a invisibilidade no caso de mister Rick ou um dos moleques maiores ou qualquer outro homem ou menino tocar na gente lá embaixo, como fez aquele Carlos uma vez. Ninguém pode tocar na gente. Isso quem me ensinou foi a Tita Edu. Se me tocam, preciso gritar o mais forte que conseguir. E você também, Claudia, promete? Mister Rick não tem nada que fazer comigo quando eu estou na cama. Fico acordada o máximo que consigo pra vigiar, porque pode ser que a minha anjinha da guarda precise de ajuda pra isso. Se mister Rick ou qualquer dos moleques grandes chegar perto da minha cama, vou gritar sem parar. Você precisa fazer a mesma coisa. Não é verdade que, se a gente gritar ou contar a alguém, vão nos pôr na rua. O que nós vamos fazer se nos põem na rua é ligar pra miss Selena. Eu tenho o número dela e posso conseguir um celular. Também tenho o número do Frank, mas ele mora mais longe e demoraria pra chegar.

Este lar adotivo, ou seja lá como se chama, é puro relaxo e mais relaxo. Não aguento tanta confusão. A pior coisa que aconteceu aqui no Norte foi a Geladeira, quando levaram a mamãe embora. E a segunda é este lar. A Susan diz que não aguenta mais, que está cansada do rebuliço dos meninos, que, se tivesse ganhado só meninas como eu, que não faço bagunça e ajudo na limpeza e na lavagem da roupa, a vida dela seria muito mais fácil, que está deprimida e cansada. Acho que é por isso que passa o tempo todo deitada no sofá, vendo televisão e comendo; aquela barriga enorme que ela tem não é por ter um bebê dentro. Olha só que bagunça, eu ando tropeçando nas coisas jogadas no chão, e que imundície que está tudo, pra não falar do banheiro. O cheiro é um nojo, me dá vontade de vomitar. Se a Tita Edu visse isso, teria um ataque. Só pra brigar com o marido é que a Susan tem forças. Está esperando ele chegar pra começar a gritar. De mim parece que ela gosta, mas não pode me proteger. Tenho que andar bem atenta pra os moleques grandes não tentarem me roubar a Didi ou brigarem comigo e pra ficar invisível quando mister Rick chega.

Viu só, Claudia? A história do buraco deu certo! Aquele buraquinho na parede foi justo o que precisava pra deixar a mensagem pra minha anjinha. Conseguiu tirar a gente deste lar adotivo. Até que enfim vamos sair daqui. A miss Selena me disse que era por pouco tempo, mas acho que ficamos aqui uns três meses ou três anos, já nem lembro. Faz muito tempo que estamos aqui no Norte, porque olha só como o clima mudou, agora faz mais calor do que lá em El Salvador, mas o ar é seco. Não chove. Você se lembra do barulho da chuva? Era mais forte que a ducha. Aqui o ano se divide em primavera, verão, outono, inverno, mas é difícil saber qual é qual. Eu contei as estações de acordo com o calor: quente quando chegamos; mais ou menos fresco no albergue; quente mas não tanto no lar da dona María; muito quente aqui na Susan. É, sim, passou muito tempo, isso é certo. A gente precisa ter paciência. A vida é assim.

E continuamos esperando a mamãe. Acho esquisito ela ainda não ter vindo buscar a gente, nem ter telefonado. Deve ser porque onde ela está não há telefone. Quando a miss Selena puder falar com a mamãe, vai dizer onde estamos. Não estamos perdidas, Claudia. Não precisa ter medo, estamos separadas, só isso. Pelo menos podemos falar com a Tita Edu de vez em quando. Pra ela a gente não deve falar nada do mister Rick, porque ela está longe, e eu não quero cravar uma faca no coração dela.

O que aconteceu com mister Rick foi bem bom, Claudia. Eu sabia que aquilo ia acontecer, eu sentia aqui, na barriga, que nem um pensamento engasgado. Eu sentia quando ele andava perto e me dava doce e me fazia carinho. Não fazia nada daquilo com os outros meninos. É um homem ruim, como o Carlos. Só sei que levei um baita susto, mas também foi bom, porque agora vão transferir a gente pra outro lugar e não vai ser outro lar adotivo como este e o da dona María. Minha anjinha conseguiu isso, mas agora falta o mais urgente, que é encontrar a mamãe. A miss Selena nunca diz encontrar, mas eu não sou boba, eu percebo que ela não sabe onde a mamãe está, porque, se soubesse, já teria ligado pra ela.

Quando mister Rick entrou no quarto muito quietinho, o que me acordou foi o cheiro de correio, mas, antes de ele conseguir fazer qualquer coisa, tapou a minha boca, deitou em cima de mim e começou a dar puxões com a outra mão pra abaixar a minha calcinha, a bufar que nem cachorro, dizendo que, se eu ficasse quieta, ele ia me dar o que eu quisesse, mas, se não, ia me estrangular. Eu não conseguia me mexer nem conseguia respirar, ia morrer sufocada, e ele estava abrindo as minhas pernas e enfiando alguma coisa. Mas então eu consegui morder a mão dele e comecei a gritar com toda força, como a Tita Edu me ensinou. "Susan! Susan! Help!" Mister Rick deu um pulo, mas se atrapalhou nos shorts, acho. E eu continuei gritando e todos no lar acordaram e não sei como a Susan apareceu em menos de um minuto, quando o marido ainda estava no chão. Depois eu contei a verdade, e a Susan ficou com mais raiva do que nunca, e mister Rick saiu batendo a porta. Por isso a miss Selena chegou de manhã bem cedinho; acho que foi a Susan que chamou. Por sorte você nem ficou sabendo, menina, você foi a única que não acordou com a gritaria.

Mister Bogart

Berkeley, junho-setembro de 2020

Em sua longa vida, Samuel Adler tinha visto cidades assoladas pela guerra, mas nada como as cenas da pandemia, as ruas e os edifícios intactos de Nova York, Roma ou Xangai, onde não se via vivalma. Parecia uma catástrofe de ficção científica. Na Califórnia haviam sido impostas medidas drásticas para combater o vírus, mas em outros estados as diretrizes eram confusas; cada governador ou prefeito tomava decisões de acordo com vaivéns políticos locais, sem consideração pela ciência. Obrigado a permanecer em casa numa quarentena que já durava vários meses, ele via na televisão como a vida tinha estagnado no mundo e cheirava no ar a fumaça dos incêndios próximos, que naquele verão arrasavam milhões de hectares de floresta. Às vezes a fumaça era densa como neblina, e o sol era uma luz alaranjada difusa num céu vermelho. Ele disse a Leticia que precisavam se preparar para deixar a casa a qualquer momento, que deviam ter à mão os documentos de identidade e dinheiro vivo, encher o tanque da caminhonete e pôr dentro garrafas de água, alimento para o cachorro e o papagaio, mantas, enfim, o indispensável.

— Se nosso destino for morrer estorricados, não sei para que vão servir esses preparativos — respondeu ela.

— Ouça o que estou dizendo, mulher, não seja fatalista.

— Vamos ver o que nos mata antes, o vírus ou os incêndios.

— Não tenho medo de morrer pelo vírus, porque estamos nos cuidando, mas tenho medo que ele me roube o tempo que me resta e me transforme num velho caduco. Os desafios que me mantinham alerta, como a música e minhas conferências, se congelaram. Meus planos de ir para Galápagos e para a ilha de Páscoa foram para o brejo.

— Melhor assim. Para ver tartarugas e estátuas, é melhor ficar aqui. Precisa se cuidar.

Samuel tinha consciência de que as pessoas de sua geração estavam morrendo, já restavam poucos conhecidos de sua idade. Antes, isso era algo que acontecia a outros, mas nos últimos meses ele sentia a morte pisando em seus calcanhares. Desde que perdera a mulher, a velhice se acelerara. Pensava muito em seu próprio fim, que podia chegar de repente, antes que ele conseguisse pôr a vida em ordem. Ia deixar rastros visíveis demais de sua passagem, como Nadine, mas o pior eram os rastros que só ele conhecia: lixo sentimental, arrependimentos, vergonhas, mesquinharias. Fazia um exercício diário de desprender-se de rancores e ser agradecido. Tinha aprendido isso com Nadine, mas só começou a praticá-lo nos últimos anos, quando ela já não estava para conduzi-lo pela mão por aquele caminho. De vez em quando sua mulher chegava para visitá-lo como um súbito pé de vento, e então ele se paralisava e deixava de respirar para não a assustar, pedindo-lhe em silêncio que ficasse um pouco mais com ele.

O tornozelo doía, e ele andava torto e mancando por causa da bota ortopédica, mas se negava a falar de seus achaques e ficava irritado se Leticia se esforçasse demais para atendê-lo. Com o tropeção na escada, ele perdera a confiança, movimentava-se com cautela, não se atrevia a dirigir e temia nunca mais poder andar de bicicleta ao ar livre. Seria o começo do fim? Quanto tempo mais ele poderia resistir à inevitável deterioração do corpo? E da mente? De repente, fugia-lhe uma palavra, um nome, uma ideia, e então ele era invadido pelo pânico do esquecimento, pela espantosa possibilidade de continuar vivendo sem poder pensar nem recordar. Tinha calculado que, se seu coração aguentasse e ele não sofresse um acidente, poderia viver até os noventa e tantos, o que significava que lhe sobravam mais ou menos 1.500 dias no calendário. Não eram muitos, passariam voando; de fato, já tinha perdido cento e tantos trancado em casa.

— Se não fosse por você, pela menina e por Paco, eu estaria mais sozinho e deprimido que um condenado à morte — disse a Leticia.

— Não se esqueça do Panchito — respondeu ela.

Samuel tinha pouca simpatia pelo papagaio alcoólatra de Leticia, que, ao menor descuido, metia o bico em sua dose de vodca e saía andando com as penas eriçadas, trombando com as paredes.

— A menina vai precisar do senhor pelo menos mais dez anos, Mister Bogart, portanto é melhor não pensar em morrer.

Primeiro foi uma chamada telefônica para Leticia de um tal Frank Angileri, que se apresentou como advogado e disse que estava encarregado da defesa da menor Anita Díaz. Leticia respondeu que não fazia ideia de quem era essa Anita e desligou na cara dele. O homem voltou a ligar trinta segundos depois e, de novo, Leticia desligou na cara dele. Ele ligou pela terceira vez, então Samuel pegou o telefone e pediu uma explicação. O homem disse que precisava falar com Leticia Cordero sobre um assunto de família, então ela pegou o outro telefone, e os dois ouviram juntos o advogado, ela cada vez mais alterada, ele cada vez mais intrigado.

— Trata-se de uma menina que acaba de fazer oito anos. Chegou de El Salvador com a mãe à fronteira de Nogales, em outubro do ano passado. Foram separadas, e Anita foi enviada para um albergue. Como não conseguiram reuni-la com a mãe ou com outro familiar, ela foi colocada temporariamente num lar adotivo. Não era o lugar ideal para ela. Foi transferida para outro e…

— Eu não a conheço — interrompeu Leticia.

— Um momento, Leticia. Vamos ouvir o resto da história — disse Samuel.

— Descobrimos que Leticia Cordero é prima do pai da menina.

— Onde está ele? — perguntou Samuel.

— Morreu em 2015. Seu nome completo era Rutilio Díaz Cordero. Em El Salvador, o sobrenome do pai, Díaz nesse caso, vai antes do da mãe, que raramente se usa.

— Ah! Por isso a menina tem o sobrenome Díaz.

— Exatamente. Sabe quem era Rutilio Díaz, senhora Cordero? — perguntou o advogado a Leticia.

— Vivo aqui desde pequena, meu senhor. Não tive nenhuma relação com familiares em El Salvador — explicou ela.

— Mas acha que essa menina poderia ser de sua família?

— Não sei... Como me localizaram?

Frank Angileri explicou que tinha pedido a um dos investigadores que trabalhavam com seu escritório de advocacia que a achasse. Era um especialista em descobrir pistas e provas e encontrar testemunhas e suspeitos. O único dado disponível era que Marisol Díaz, antes da perda de contato, havia mencionado uma prima chamada Lety ou Leticia, que vivia na Califórnia. Não foi possível achar ninguém com algum dos sobrenomes de Marisol: Andrade ou Díaz, mas o investigador se comunicou com a avó Eduvigis, em El Salvador, e constatou que Cordero era seu sobrenome, portanto aquele era o sobrenome materno do falecido esposo de Marisol. Procurou uma Lety ou Leticia Cordero com a esperança de que ela não estivesse em situação irregular, porque nesse caso não poderia encontrá-la.

— Demorou, mas tivemos sorte — concluiu o advogado.

— Ninguém me chama de Lety agora. Só me chamavam assim quando eu era pequena — murmurou Leticia.

— Quer conhecer a sua sobrinha?

— Não sei...

— O que aconteceu com a mãe? — perguntou Samuel.

— Desapareceu. Achamos que foi deportada.

— Desapareceu?

— Ninguém a viu em El Salvador. Pode ser que a tenham deportado para outro país, às vezes ocorrem confusões. Muitos são simplesmente mandados para o México com instruções de esperar até serem chamados para que um juiz julgue seu caso. Isso pode levar meses e até anos. Do outro lado da fronteira há acampamentos de refugiados, dezenas de milhares de pessoas que vivem em tendas, em péssimas condições.

— Disso eu sei. Leio jornais.

— O público não sabe nem da metade do que está acontecendo.

— Resumindo, senhor Angileri, neste momento Anita Díaz não tem mãe nem pai, certo? — perguntou Samuel.

— É isso mesmo. Enquanto tentamos encontrar a mãe, o que está sendo difícil, seria de grande ajuda se Anita ficasse sob os cuidados de um familiar. Estou cuidando dos trâmites de seu asilo definitivo e vendo a maneira de trazer a mãe para o reencontro, mas isso pode levar um bom tempo, especialmente agora, com a pandemia. Anita é uma menina inteligente, bem-educada e respeitosa.

Seguiu-se uma pausa de quase um minuto na conversa, enquanto Leticia secava as lágrimas e Samuel pensava em seu próprio passado. As imagens dolorosas que mantivera guardadas num compartimento secreto do coração retornaram em torrentes: os gritos, a fumaça, o medo, sua mãe, tão linda e triste, despedindo-se dele na estação. Também o velho coronel Volker, fardado, prendendo em seu casaco a mágica medalha por bravura. Oitenta anos depois, ele ainda tinha a medalha junto ao violino. Havia trocado de instrumento várias vezes ao longo da carreira, mas a medalha e a fotografia dos pais continuaram pregadas no estojo. No entanto, não conseguia se lembrar do pai, que tinha permanecido ausente durante os últimos dias, antes que ele fosse mandado para a Inglaterra. O pai gostava dele tanto quanto tinha certeza de que a mãe gostava? Ele tinha se esquecido de quase tudo o que acontecera antes daquela terrível Noite dos Cristais. Antes daquilo, tinha sido um menino feliz? Perguntou-se se tinha apagado de propósito seus primeiros cinco anos ou se simplesmente era novo demais para se lembrar. Anita, ao ser separada da família, era maior do que ele era naquela época. Ela não esqueceria nada.

— Gostaria de lhes explicar a situação pessoalmente e mostrar a documentação e algumas fotografias, mas não vai ser possível por causa do vírus — concluiu Angileri

— Pode nos dar um tempo e ligar dentro de dez minutos, por favor? — pediu Samuel.

Levou os dez minutos convencendo Leticia de que o dever de ambos era ajudar aquela menina, que já havia sofrido demais. Fossem eles parentes ou não, dava na mesma. O destino lhes dava a oportunidade de fazer algo por ela, e seria uma vergonha imperdoável deixar de fazer por simples comodismo.

— Aqui sobra espaço. Olha todos os quartos que há nesta casa — argumentou.

— Quem vai cuidar da menina? O senhor? — respondeu ela.

— Nós dois vamos cuidar.

— O senhor já esqueceu o que é lidar com criança, Mister Bogart. Além disso, essa menina está traumatizada, sente falta da mãe, foi arrancada de tudo o que conhece, da família, dos amigos, da escola, do bairro, da sua língua. Imagina o que é isso?

— Perfeitamente.

— É um problema. Coitadinha...

— Exatamente, Leticia: coitadinha. Vamos dizer que sim ao Angileri e depois vemos como nos arranjamos.

— Prometa que, aconteça o que acontecer, não vai se queixar. Depois que estiver aqui, essa menina não vai mais para lugar nenhum, só ao encontro da mãe, combinado?

— Prometo.

E assim começou aquela aventura. Dois dias depois, Angileri organizou uma reunião pelo Zoom com Anita Díaz e Selena Durán, que ele apresentou como a assistente social que conhecia a menina melhor que ninguém. Samuel percebeu que tanto ela como o advogado estavam afeiçoados à menina e não deixariam pedra sobre pedra até encontrar a mãe. Angileri não havia mencionado que Anita era cega e, no início, Leticia e Samuel não se deram conta disso, porque a imagem do Zoom era ruim, mas em breve ficou evidente. Aquele foi o fator decisivo que demoliu as últimas defesas de Leticia.

Em Samuel, a menina provocou um tsunami de lembranças dolorosas; ele sentiu o coração se abrir. Sofria de arritmia cardíaca, condição incômoda à qual era inútil prestar muita atenção, mas havia desenvolvido o hábito de controlar as pulsações na artéria do pescoço e ouvir seus batimentos. O vácuo no peito foi aumentando como um bocejo naquela meia hora, vendo Anita na tela, tão pequena e frágil. Ele era assim naquela idade.

— Quando a menina virá? — perguntou a Selena Durán.

— Dentro de duas semanas. Eu vou deixá-la em sua casa. Fizemos o teste de covid-19 e o resultado foi negativo, mas por precaução estamos de quarentena.

— Como virão?

— De carro — disse ela.

— Vem dirigindo de Nogales? É muito longe!

— No caminho vamos passar uns dias na casa de amigas. Elas vão fazer o teste do vírus. Seremos cuidadosas, não se preocupe.

— Do que vamos precisar para receber a Anita?

— De nada em especial. Ela está acostumada ao mínimo. Só precisa de estabilidade e afeto.

— Fico preocupado com a cegueira dela, esta casa é grande e está cheia de coisas.

— Não se preocupe com isso, senhor Adler. Anita vê formas desfocadas, como através de um vidro embaçado ou com vaselina. Com boa luz e uma lupa, ela consegue ler, se a letra for grande. Tem percepção aguda de espaço e direção, memoriza com facilidade, não anda tropeçando, localiza-se depressa em qualquer lugar.

Depois do Zoom, Leticia foi invadida por um frenesi de atividade. Tinham duas semanas pela frente, mas ela não quis perder nem um minuto. Começou por se mudar para o segundo andar, para dormir ao lado do quarto de Anita. Arrumou o outro cômodo com um papel de parede amarelo-limão salpicado de margaridas e borboletas e encomendou uma colcha para a cama com desenhos de Disney, horrenda segundo Samuel. "Essa menina precisa de alegria. Não vai poder ver os desenhos, mas acho que vai ver um pouco do colorido", decidiu. Armada de escada, brocha e um balde de cola, instalou o papel nas paredes de acordo com as instruções encontradas na internet, enquanto o velho e o cachorro a observavam admirados. Encheu a despensa e a geladeira de mantimentos suficientes para sobreviverem a um cerco. Decidiram esperar que ela chegasse antes de encomendar roupa, porque não sabiam as medidas, mas compraram alguns brinquedos e audiolivros.

— Acho que a Anita não sabe ler braille — disse Samuel.

— Deve estar muito atrasada na escola.

— Assim que possível, vamos matriculá-la na escola de cegos em Fremont; fica mais ou menos a quarenta minutos daqui.

— Talvez ela não saiba inglês suficiente para isso — disse Leticia.

— Faz vários meses que está neste país, alguma coisa deve falar. Vou cuidar para que ela aprenda inglês corretamente. Fui professor durante muitos anos, Leticia. Se consegui ensinar música a alunos sem talento, posso ensinar inglês e algo mais a essa menina.

No dia marcado, Selena ligou para eles meia hora antes de chegar. Leticia tinha se esmerado em preparar pratos de El Salvador para que Anita se sentisse em casa: feijão, banana frita, tortilhas de milho e um bolo, além de orchata, uma bebida de grãos, sementes, arroz, leite e especiarias. Ambos esperavam a menina com tanta ansiedade, que tomaram um uísque duplo cada um às dez da manhã para dominar os nervos.

— O que vamos fazer se a gente não for com a cara de Anita, Mister Bogart? — perguntou Leticia.

— Seria terrível, mulher. Empatia é uma coisa misteriosa, não obedece a nenhuma regra conhecida, ou ocorre espontaneamente ou não ocorre em absoluto, é impossível forçar.

Não tinham por que prever essa possibilidade, porque, assim que desceu do carro empoeirado de Selena Durán, com sua mochila nas costas, a menina os conquistou. Era um bâmbi de pernas finas e olhos assustados por cima da máscara regulamentar, com seu vestido de segunda mão e tênis. Avançava vacilando, pela mão de Selena, agarrada a uma boneca de pano. Leticia se agachou e a estreitou nos braços, emocionada.

— Eu sou tua tia Leticia. Este é Mister Bogart, o cachorro é o Paco e na cozinha há um papagaio que se chama Panchito. Também há dois gatos que vêm comer e às vezes ficam para dormir, mas são meio selvagens e não têm nome — disse-lhe com voz trêmula.

— Bem-vinda — foi a única coisa que a Samuel ocorreu dizer.

Fez bem em não se aproximar; transcorreria um bom tempo antes que Anita se sentisse à vontade com ele. Depois Samuel soube que ela desconfiava dos homens e imaginou que seus cabelos brancos a tinham tranquilizado.

O começo foi tenso, mas o ambiente se descontraiu quando Leticia serviu a orchata e o bolo de três leites, que, segundo ela, era o mais popular de El Salvador. Entregou à menina um dos presentes que tinham comprado, uma boneca que andava como um zumbi, movida por duas pilhas na barriga. Anita se distraiu uns minutos, verificando aos tateios como funcionavam, mas não se separou da sua. Samuel lhe perguntou se conhecia alguma canção e conseguiu fazê-la cantarolar uma cantiga infantil, que ele desenvolveu no piano com alguns floreios de estilo barroco pretensioso. Aquilo encantou Anita, que lhe ofereceu outras melodias singelas, que sofreram a mesma sorte. Depois, Leticia lhe preparou um banho, porque ela parecia cansada da viagem, enquanto Samuel se instalava com Selena para receber as instruções necessárias.

— Agradeço-lhe por ter trazido a Anita — disse.

— Não, sou eu que devo agradecer ao senhor e à Leticia por recebê-la. Ela foi muito machucada pela crueldade do sistema de imigração.

— Separar as famílias é desumano, uma vergonha para este país... — murmurou Samuel, indignado.

Selena explicou que a cegueira de Anita era mais ou menos comparável a uma degeneração macular avançada. Um trágico acidente de automóvel ocorrido dois anos antes lhe ferira as córneas, mas em seu caso a lesão não era progressiva.

— Parece que há um tratamento que pode ajudá-la — acrescentou.

— Deve ser um transplante de córnea. Vou verificar — disse Samuel.

— Marisol, a mãe, disse ao oficial de asilo na entrevista que a razão para fugirem de seu país era estarem correndo risco de vida, e acrescentou que esperava conseguir ajuda para Anita nos Estados Unidos. Isso não a favoreceu, porque o oficial interpretou como intenção de abusar do sistema de saúde.

— Existe uma escola para cegos relativamente perto daqui. Eu arco com o custo. A menina não estará abusando do sistema — disse Samuel.

— Com ajuda, acho que Anita é capaz de frequentar uma escola normal. Ela sabe ler e escrever. É boa aluna e tem excelente memória auditiva, basta escutar alguma coisa uma única vez para conseguir repetir semanas depois.

— Gosto disso, quer dizer que posso ensinar música a ela.

— O juiz autorizou a menina a ficar no país até encontrarmos a mãe dela — explicou Selena. — Frank Angileri demonstrou que ela é vítima de uma lamentável confusão administrativa. Não é o único caso, infelizmente, mas a condição de Anita abrandou o juiz. Imagino que a última coisa que ele queria ver na imprensa era que ele havia deportado uma menina cega e separada da mãe.

— Durante quanto tempo ela fica conosco?

— Não sei dizer. Ela tem permissão de asilo temporário. No começo de fevereiro eu fui com Frank Angileri a El Salvador procurar Marisol Díaz. Não a encontramos.

Fazia meses que Leticia e Samuel viviam isolados antes da chegada de Anita e tinham se organizado como um velho casal; atinham-se a suas rotinas, respeitavam o espaço um do outro e divertiam-se nos intervalos em que estavam juntos. A convivência forçada da pandemia brindava-os com uma oportunidade extraordinária de se conhecerem e, quanto mais se conheciam, mais se estimavam. A menina mudou o ritmo da casa e os hábitos de ambos, mas também os aproximou mais. Com ela, eram uma família.

A primeira noite passada na casa de Samuel foi difícil, porque Anita parecia assustada e se sentou no chão, num canto, agarrada à sua Didi, que estava imunda. O papel de parede amarelo e a colcha nova, que a deixaram encantada ao chegar, embora mal conseguisse distinguir as cores, durante a noite lhe davam medo, porque ela nunca tivera um quarto só para si. Samuel achou aquilo razoável; aquele papel também provocava calafrios nele. Ela demorou quase uma hora para se deitar na cama e só adormeceu depois da meia-noite. No dia seguinte Leticia a encontrou de novo encolhida num canto, chorando baixinho, e constatou que ela havia molhado a cama.

— Não faz mal, Anita, isso pode acontecer com qualquer um — disse, tentando consolá-la.

— Antes, quando eu morava com a Tita Edu, nunca molhei a cama. Não sei por que isso acontece agora — respondeu a menina, soluçando.

— Shhh, querida, não há problema, vamos trocar o lençol e pronto.

Leticia informou Samuel do ocorrido e ele não se surpreendeu.

— Ela já não tem idade para isso — comentou Leticia.

— O que vamos fazer?

— Na sua terra ela dormia com a avozinha ou com a mãe. Vai ter de dormir comigo. Posso usar a cama de Camille? É larga.

— Pode usar o que quiser. Vamos ter de mudá-la para lá.

Ninguém podia ajudá-los naquela tarefa. Samuel não tinha a força de antes, mas estava longe de ser um inválido. Apesar do tornozelo deslocado, conseguiram desarmar a cama de Camille e substituir a de Leticia. Desde que Anita começou a dormir com a tia, parou de urinar na cama. Samuel achava a solução pouco higiênica, mas a aceitou sem comentários, porque se lembrava do medo que sentia à noite, quando era pequeno, ao chegar à Inglaterra, e de como escondia a cabeça embaixo do travesseiro para ninguém ouvir seu choro.

Às vezes acordava aterrorizado com o mesmo pesadelo recorrente. Estava escuro, era noite fechada, ele ouvia os galhos de uma árvore batendo na janela e um grito de coruja. Via-se numa cama dura e estreita, fazia muito frio, ele estava gelado, mas sentia alguma coisa quente sob seu corpo e entendia com horror que tinha urinado. Quantas vezes viveu aquele momento na infância? A vergonha, a humilhação, o choro sufocado, as recriminações, o castigo, a caçoada dos outros meninos. A memória daquele tempo era mais vívida que o presente, por isso ele sentia infinita compaixão de Anita, que estava passando pela mesma situação. Ele sabia exatamente o que ela sofria, sabia por que, dormindo, chamava a mãe, sabia por que ficava plantada durante horas na entrada da casa, ouvindo os ruídos da rua e esperando que Marisol aparecesse.

Na última vez que Samuel tinha visto a mãe, ela se despedia dele numa estação, no meio de uma multidão. Ele era muito pequeno, usava um casaco folgado e cachecol de lã, os sapatos eram grandes. Partia com centenas de outras crianças num trem. Durante muitos anos aquela imagem era confusa, desarticulada, incompreensível, mas, em algum momento da juventude, ele pôde juntar as peças do quebra-cabeça e entender perfeitamente do que se tratava. As crianças do trem eram judias, e sua mãe, assim como as outras famílias na plataforma, tinha decidido mandá-lo para a Inglaterra sozinho, sob os cuidados de desconhecidos e sem nenhuma segurança sobre o futuro, para salvá-lo da violência dos nazistas. Tinha a esperança de que fosse uma solução temporária, de que logo estariam juntos de novo.

Muitos anos antes, em 1995, Samuel Adler visitara o Museu do Holocausto em Washington. Antes tinha ido a Viena ver o bairro onde nascera. No lugar onde ficavam o prédio da clínica e o apartamento de sua família, encontrou um banco. Também foi ver as ruínas de Dachau, Ravensbrück e Auschwitz, numa viagem às profundezas da depravação humana. Sobrava muito pouco, mas ainda existiam os restos de alguns galpões, as cercas de arame farpado, as torres de vigia e as chaminés dos fornos crematórios, o suficiente para se ter uma ideia dos crimes ali perpetrados. Percorreu aquelas instalações sinistras num silêncio esmagador, nem pássaros havia nos arredores, nem um filamento de vegetação. Teve a certeza de que o ar estava cheio de presenças, homens, mulheres, velhos, crianças, milhões e milhões de almas.

No museu, examinou listas de vítimas do genocídio e encontrou o nome de sua mãe, Rachel Sara Adler, e os de sua tia Leah e de toda a família materna, mas não o de seu pai. Os nazistas mantinham um registro diário de suas ações, até as maiores atrocidades eram documentadas, mas alguns registros foram sistematicamente destruídos durante a derrota.

Para Samuel, aquela peregrinação dolorosa era inevitável. Ao subir no trem do *Kindertransport*, suas raízes tinham sido cortadas, ele perdeu pais e avós sem explicação nem despedida. Cresceu esperando. A saudade e a angústia foram os sentimentos mais poderosos daqueles anos. Viveu a infância fragmentado, dividido entre o áspero presente do qual desejava escapar e a nebulosa fantasia de uma família e um lar, que ele alimentava com lembranças cada vez mais vagas de um passado mítico.

Passou três dias seguidos indo ao museu, onde ficava da abertura ao fechamento. Impregnou-se das histórias, memorizou as fotografias, conviveu com os espectros, chorou sem consolo e amaldiçoou com a ira acumulada durante décadas, admitiu que seu destino não era excepcional, que ele era mais um entre milhões de vítimas. Entendeu que a única opção de sua mãe era separar-se dele para lhe dar a oportunidade de viver. Imaginou que o sofrimento dela foi muito pior que o seu próprio e que Rachel morreu com o nome do único filho nos lábios. Foi o desfecho de que Samuel precisava para compreender que nunca poderia exorcizar seus demônios, que teria de aprender a conviver com eles.

Nos meses seguintes, Samuel e Leticia adotaram de maneira natural o papel de avô e tia de Anita Díaz, a ponto de lhes ser difícil lembrar como tinha sido a vida deles antes de sua chegada. Adaptaram o ambiente para que a menina pudesse se movimentar com facilidade, mudaram a posição dos móveis, tiraram os tapetes nos quais ela pudesse tropeçar e instalaram tantas luzes, que, segundo Samuel, a casa deslumbrava de longe e era um perigo para a aeronáutica. Leticia se encarregava das tarefas prosaicas — alimentar, dar banho, pentear —, e Samuel a entretinha e educava. Anita era totalmente inapetente, era uma batalha fazê-la comer, mas Samuel fazia questão que ela se sentasse à mesa com os adultos. A menina usava corretamente os talheres e o guardanapo, tinha bons modos e pedia licença para se levantar. "Muito obrigada, tia Leticia, muito obrigada, Mister Bogart", dizia em inglês, para que ele entendesse. No começo evitava Samuel, mas depressa começou a se sentir mais segura, perdeu o medo dele e o procurava espontaneamente. O velho a preparava para que pudesse frequentar as aulas assim que a escola reabrisse. Encomendou os textos escolares que correspondiam à sua idade, todos em inglês, e estudava com ela três horas por dia. A menina aprendia com avidez. Como não podia escrever à mão, ele lhe emprestou uma velha máquina de escrever, que ela conseguia usar com dificuldade, e encomendou para ela um computador com teclado especial para pessoas com deficiência visual.

Para Anita, o mais interessante era o piano. "É mais fácil do que escrever à máquina, porque, se erro, o som é feio", dizia. Era disciplinada e entendia que, para desenvolver agilidade nos dedos, precisava fazer escalas diariamente.

— Existe a memória visual, que para você é um problema, e existe a memória auditiva, que não é nada difícil para você; para a música, você precisa de memória emocional e muscular. Teus dedos precisam se lembrar e tocar sozinhos, impelidos pelos sentimentos — repetia Samuel.

— Posso tocar de ouvido — alegava ela.

— Sim, mas para fazer isso a sério tem de aprender a ler música e fazer os exercícios todos os dias.

Ele começou por escrever as notas em tamanho grande com pincel atômico preto, que ela conseguia ler com lupa. Encomendou pela internet várias partituras em braille e se dispôs a estudar o sistema para poder ensiná-lo à aluna. Anita teria de ler a partitura pelo tato e memorizá-la.

A estranha situação de viver confinado com Leticia, Anita e os animais devolveu a Samuel a vontade de viver. Desde que enviuvara, sentia que se somavam perdas, ausências, desaparecimentos, mortes, distância, separação e esquecimento. Também desamor: nele, os sentimentos iam secando. Confessou a Leticia que não sentia saudade da filha nem do neto que tanto ele havia celebrado e mimado na infância. Nadine dizia que família não se escolhe e é preciso aceitar com boa vontade qualquer um que nos caiba, mas Samuel não estava de acordo; achava que afeto não se dá de presente, que é preciso merecê-lo, e seu neto só merecia que a vida lhe desse vários chacoalhões para baixar sua arrogância e ensinar-lhe compaixão.

Além disso, para um homem solitário, como ele, parecia natural gostar de Anita. Imaginou que, em tempos normais, a menina iria à escola, e ele a veria muito menos, mas, estando sempre presente, ela ia ganhando terreno em seu afeto a passos largos. Quando não estavam juntos, ele a ouvia na casa ou a via pela janela brincando com Paco no jardim ou molhando-se com a mangueira nos dias de calor. Ela passava horas no meio daquela vegetação descuidada, ocupada em jogos misteriosos. No pouco tempo passado sob seu teto, ela fora enchendo cada canto. Nos primeiros dias andava segurando-se nas paredes, calada, o mais perto possível de Leticia e o mais longe dele, mas logo foi perdendo a timidez. Percorria cada espaço muito atenta, memorizando as distâncias, as janelas e as portas, até que pôde se mover com segurança, subir e descer a escada sem se apoiar e correr pelos corredores atrás de Paco. O cachorro trocou o dono por Anita; ia atrás dela a todos os lugares, deitava-se a seu lado e, se Leticia deixasse, dormiria com ela na mesma cama. Samuel se resignou a perdê-lo; o animal tinha vocação para cão-guia.

— O Paco vai sofrer quando a menina for embora — comentou Leticia.

— For embora, Leticia? Por mim, que fique e cresça aqui, que se transforme em minha neta.

— Isso só seria possível se a mãe não fosse encontrada.

— Não posso desejar isso, seria uma canalhice — concluiu ele.

Depois de cair da escada, Samuel compreendeu que não voltaria a subir ao sótão. Não tinha ideia do que havia ali, devia ser uma caverna de vampiros lotada de entulho familiar, acumulado e multiplicado ao longo dos anos. Indagando e perguntando, Leticia tinha decifrado alguns segredos e várias vezes soltou o nome de Bruno Brunelli, tateando o terreno para descobrir quanto ele sabia, mas não mataria sua curiosidade. Era um assunto particular, que carecia de importância, não havia necessidade de trazê-lo à tona. Ele estava a par de Brunelli; a relação do confeiteiro com sua mulher durou dois anos, como ele não descobriria? Foi uma distração tão frívola, que Nadine nem fez questão de esconder. Aquela não foi a única infidelidade de Nadine, ele conhecia outras. Sabia que a relação mais longa e profunda de todas, a única que chegou a ser um verdadeiro amor, ela teve com Cruz Torres, a última pessoa de quem ele teria desconfiado. Nadine a confessou banhada em lágrimas quando Torres foi deportado. Não esclareceu quanto tempo havia durado aquele amor, mas Samuel calculava que tudo havia começado com a reforma da casa e terminado oito anos depois; abarcava uma época importante da maturidade de Nadine. Teve ciúmes retroativos por algum tempo, até entender que, do México, Torres não punha o seu casamento em perigo nem afetava o carinho e o companheirismo que ele e Nadine dividiam. Imaginava que o mexicano tinha sido um amante fogoso, que tinha dado a Nadine algo de que ela precisava e ele não podia ou não sabia dar. Depois de conviverem durante décadas, o amor passa a ser fraterno, e o sexo se torna incestuoso, pensava. Não se pode exigir monogamia absoluta em 55 anos de casamento.

Enquanto isso, vários laboratórios trabalhavam simultaneamente para produzir uma vacina, e Samuel não tinha dúvida de que conseguiriam. Em sua longa vida ele tinha comprovado que tudo passa, mas tinha dificuldade para pensar no futuro, sentia-se atolado no presente imutável da pandemia. Como iria ser a nova normalidade? Será que portas e janelas se abririam e a humanidade sairia, vacilante nos primeiros dias e eufórica depois? Imaginou as multidões abraçando-se nas ruas, como num carnaval. Não seria seu caso, porém. Pensava em aproveitar aquela longa peste para se distanciar das pessoas que não apreciava e largar as obrigações que não lhe interessavam. Tolerava pouca gente, mas escondia tão bem, que ganhara a reputação de ser um bom sujeito. Ninguém podia acusá-lo de arrogância ou egoísmo, só de excentricidade. Nadine costumava dizer que a excentricidade é admirável quando acompanhada de sotaque inglês. Antes da chegada de Anita, ele se agarrava ao trabalho e ao estudo para manter a mente ativa, temeroso diante da possibilidade real de, em sua idade, afundar na neblina da senilidade. Com a menina, ele tinha desafios suficientes e podia defender-se melhor do espectro da demência.

Na teoria, Leticia estava tão ocupada com Anita e o trabalho da casa, que não lhe sobrava ânimo nem tempo para a mórbida atividade no sótão, mas na prática não era assim; recrutou a menina como cúmplice, e as duas passavam tardes inteiras entretidas na busca de possíveis tesouros do passado. Anita aprendeu a usar a escada telescópica sem vacilar e a mover-se como se pudesse enxergar perfeitamente entre as vigas e os obstáculos do sótão. Samuel dera permissão para que elas descessem os brinquedos de Camille e do neto, que fazia décadas envelheciam lá em cima, bem como as árvores de Natal, uns pinheiros artificiais com luzes, que eles instalaram em vários cantos da casa. Não era preciso esperar dezembro. Anita se apropriou de um jogo de chaleira e pequenas xícaras de louça e o convidava a tomar um chá nauseabundo, preparado com folhas do jardim. Samuel o bebia adoçado com várias colheradas de mel para poder engolir. A menina carregava sua horrível Didi e Paco no carrinho de bebê que tinha sido de Camille, enquanto a boneca nova – o zumbi – jazia esquecida. Anita gostava de se segurar na coleira ou na guia de Paco, por companhia, e não por necessidade. Insistia em dizer que não precisava de ajuda. "Posso fazer sozinha", era seu mantra. Samuel se maravilhava com a menina. Ele nunca tinha vivido num mundo imaginário, desde muito pequeno aterrissara na realidade, mas ela, que havia sofrido rupturas semelhantes às que ele sofrera, conseguia voar para uma dimensão fantástica. O sótão, o jardim, os cômodos vazios eram os lugares para onde escapava.

Prestando atenção aos sussurros da menina, Samuel tomou conhecimento de Azabahar, uma estrela muito distante que ela visitava com frequência, levando Paco. Azabahar era o mundo perfeito da felicidade invencível, o lugar onde ela se reunia com os ausentes. No começo, Anita usava uma algaravia de dois idiomas, mas, à medida que avançava nas aulas e via televisão, o inglês começou a predominar, e Samuel conseguia entender um pouco.

— Reparou que Anita fala sozinha? Deve ter uma amiga imaginária, isso é frequente nas crianças solitárias — comentou com Leticia.

— Fala com a irmãzinha — respondeu ela.

— Como? Que irmãzinha? — perguntou Samuel, intrigado.

— Claudia. Morreu no mesmo acidente em que ela ficou cega. A Claudia tinha três anos, e a Anita acabava de fazer seis. Eram muito unidas. A boneca de pano era da Claudia, por isso a Anita gosta tanto dela.

— Como você sabe tudo isso?

— Ué, Mister Bogart, porque perguntei.

— Ela disse que Claudia morreu?

— Sim. Não está delirando, sabe que a Claudia não está aqui. Coitadinha... Primeiro morreu o pai, depois a irmã, ela perdeu a visão, quase mataram sua mãe, teve de deixar o lar e a avozinha, e aqui foi separada da mãe e ficou sozinha. Ressuscitou a irmã para ter companhia.

— Não sei como vai poder se recuperar de tudo isso... — murmurou Samuel.

— Ela é forte. Espero que com o tempo toque em frente — respondeu ela.

Fazia várias semanas que Samuel estava pensando nas mudanças que faria em seu testamento. Conversara pelo Zoom com seu advogado para lhe dar instruções, e notificou Leticia. Quando morresse, a casa ficaria em fideicomisso para proteger Anita, e ela, por ser sua tia, o administraria.

— Não fale assim, porque é como chamar a morte. E o que Camille vai dizer? Vai pôr a culpa em mim, vai dizer que sua empregada o enganou quando o senhor estava senil para mudar o testamento.

— Ela vai herdar o restante dos meus bens. Só vai saber do fideicomisso quando for tarde demais. Tenho dois atestados médicos declarando que estou em pleno domínio de minhas faculdades mentais. Você vai ver como se acerta com a Camille. Nadine sempre disse que esta casa devia ser um refúgio para qualquer necessitado. Quero que sirva para financiar a educação de Anita.

— Quem disse que ela vai ficar aqui?

— Onde quer que esteja, vai precisar de escola. Se você vender a casa, haverá dinheiro suficiente para isso. Se preferir alugá-la, ela pode render uma boa quantia mensal.

— Alugar? Está caindo aos pedaços!

— Não exagere. Vai ser preciso fazer alguns reparos quando passar a pandemia — respondeu.

— Aqui há muitos cômodos... O senhor me disse que no passado foi uma casa de tolerância.

— Você não está pensando em montar um bordel, Leticia, pelo amor de Deus

— Isso é complicado, mas o senhor poderia alugar quartos para estudantes da universidade. Uma espécie de pensão, o que acha?

— Se você acha bom, que vá em frente. Eu estarei debaixo da terra. Nada de crematório para mim, quero um túmulo junto com a Nadine.

— Estou vendo que tem muita confiança em mim.

— Tenho plena confiança na tua capacidade, na tua honradez e no afeto que tem por Anita. O que anda fazendo o Frank Angileri?

— Ele diz que, se o governo mudar depois da eleição presidencial de novembro, sem dúvida vão tratar de reunir as famílias.

— Ilusões, Leticia. Faltam seis semanas para a eleição e ninguém garante o resultado — lembrou-lhe Samuel.

— O senhor sempre pessimista!

— Não posso ser otimista neste mundo de sujeira, mas agora sinto vontade de mudá-lo como não tive antes.

Anita

Berkeley, setembro de 2020

Neste jardim nós vamos fazer uma casinha secreta, escondida no mato, pra ninguém descobrir, e vamos fazer chá com água e folhas, é um chá especial pra convidar as anjinhas e os habitantes mágicos do jardim. Eu sei que folhas a gente precisa. Vamos convidar o Paco, mas ele não gosta de chá, prefere biscoitos ou osso. Vou conseguir biscoitos, a tia Lety sempre tem na cozinha, mas osso é mais difícil. O Mister Bogart a gente precisa convidar de qualquer jeito, Claudia, porque ele está velhinho e é muito bom conosco. É tão bom, que um dia vamos levá-lo para Azabahar. Ele diz que vou para a escola quando acabar o vírus, mas eu prefiro aprender com ele, porque ele nunca se zanga, mesmo quando eu erro no piano ou nas aulas. Também não se zanga de agora o Paco gostar mais de mim do que dele.

Também vamos construir uma armadilha no jardim para apanhar os moleques abusados e os homens ruins. Pensei em tudo direitinho. Primeiro, é fazer um buraco grande e conseguir uma rede daquelas que havia na praia de El Tunco. O buraco tem que estar disfarçado com galhos e um pouco de lixo, para o agressor não ver e cair dentro; então nós puxamos a rede e o capturamos vivo. Depois vemos o que fazer com ele. Depende. Se for o Carlos ou o mister Rick, vamos deixar morrer de fome e sede. Se for o Lombriga, por exemplo, vamos atirar pedras nele e vamos deixar aí a noite inteira, mas no outro dia ele pode ser solto.

De onde você tirou a ideia de que há cobras neste jardim, Claudia? Aqui não há cobras, isso era em El Salvador. O que há aqui são duendes, que são pequenininhos e têm orelha comprida e pontuda, e ninfas e fadas de todo tipo e até um unicórnio ou talvez dois, não é certeza, mas eles são tímidos e se escondem, por isso não vimos. E também há um tesouro que os piratas enterraram. Quando a gente encontrar, vamos mandar moedas de ouro para a Tita Edu, para ela não ter de continuar trabalhando nunca mais. Essa história dos piratas foi antigamente, faz muito tempo; agora não há piratas, eles foram deportados.

Mister Bogart me mandou falar por Zoom com um médico de olhos, e eu tive que explicar três vezes o acidente com todos os detalhes e o que enxergo e o que não enxergo, mas de qualquer jeito ele vai precisar me ver em pessoa. Não pode ser agora, porque ele só está atendendo casos muito urgentes, por causa do vírus, e o meu não é tão urgente. Isso é o que ele acha. Pra mim é bem urgente, porque já estou cansada de ser cega. Mister Bogart me disse que fariam um transplante, e a tia Lety me explicou que vão tirar os olhos de um morto e pôr em mim e, se eu tiver sorte, vão ser azuis. Isso me dá medo, não quero que tirem os meus olhos nem quero que ponham coisa de morto em mim. Mister Bogart diz pra eu não ligar pra tia Lety, que o transplante é uma coisa pequenininha e ninguém vai tirar meus olhos. De todo modo, por via das dúvidas, a Tita Edu fez uma promessa a santa Luzia, padroeira da visão.

Eu gosto desta casa, ela é bem legal, né? A tia Lety explicou que se chama casa assombrada porque tem espíritos, mas eu não tenho medo e espero que você também não, Claudia, porque são senhoras elegantes que andam por aí e nem dá pra notar. Mister Bogart diz que fantasma não existe, mas só diz por dizer. A tia Lety me contou que um dos espíritos é a mulher de Mister Bogart, uma senhora muito linda e alegre, que se chamava Nadine.

Eu ainda não consigo vê-la, preciso esperar ser operada dos olhos, mas, se me concentrar, consigo sentir o perfume dela. Reconheço, porque a tia Lety me deu um frasquinho com o resto que a senhora deixou na penteadeira. Não posso usar, porque o Mister Bogart teve um ataque de tristeza quando usei uma vez. Ele se trancou no estúdio e não me deixou entrar, apesar de eu bater na porta umas mil vezes.

Achei a Tita Edu meio esquisita quando conversei com ela por telefone, o que você acha, Claudia? Ela deu de repetir que aqui no Norte eu estou melhor, que devo me adaptar e ficar aqui, porque isso é o que a mamãe queria, foi por isso que viemos. Disse que, quando eu for à escola, devo tirar boas notas e aprender bem inglês e fazer a primeira comunhão, mas não quero fazer sem ela e a mamãe. Também disse que sempre vai me ligar e sempre vai gostar de mim com toda a alma, mas que eu me esqueça dela, porque as lembranças fazem sofrer.

Como que eu vou esquecer a Tita Edu? Isso que ela disse me fez chorar, e aí ela também começou a chorar, e nós choramos um bom tempo e, quando não tínhamos mais lágrimas, combinamos que eu não vou me esquecer nunca dela e ela vai vir ver a gente aqui na Califórnia assim que achar alguém pra ficar com o vovozinho.

Eu perguntei ao Mister Bogart se, quando a mamãe chegar, ela também vai poder morar aqui conosco. A mamãe pode ajudar a tia Lety na limpeza, porque esta casa é muito grande, tem cinco banheiros e não sei quantos cômodos. Ele disse que sim e me abraçou, mas eu notei que a voz dele estava um pouco triste. Isso acontece com os velhinhos, Claudia, eles ficam tristes de repente e não se sabe por quê. Quando a mamãe vier, vamos viver todos juntos e nunca mais vamos nos separar. Já imaginou como vai ser, Claudia? Vai ser super, supermágico!

Selena e Samuel

Berkeley, São Salvador, setembro de 2020

Toda semana, Selena Durán falava por Zoom com Samuel para se pôr a par da situação de Anita, mas frequentemente eles acabavam tratando de outros assuntos, e o tempo ficava tão curto, que às vezes marcavam encontro para o dia seguinte. Tinham muito o que conversar sobre Anita, seu progresso na pequena família onde estava instalada, seus estudos, o especialista em córnea de Stanford, que a trataria quando acabasse a pandemia, o modo como tinha ganhado um pouco de peso, apesar de continuar sem apetite. Samuel se comportava como um avô desvanecido, contava casos insignificantes da menina com Leticia, Paco ou Panchito, e a fazia ouvir Anita tocar piano. Dizia que sua aluna tinha tão bom ouvido e era tão estudiosa, que poderia chegar a ser concertista; existiam vários pianistas cegos famosos, inclusive um japonesinho que Anita não se cansava de ouvir no YouTube. Já conseguia identificar o som de cada instrumento da orquestra e estava aprendendo a apreciar jazz.

Às vezes, Frank Angileri se somava ao encontro por Zoom para atualizá-los sobre os aspectos legais. Precisava trabalhar depressa e sem ajuda. Os defensores dos menores costumavam enfrentar juízes incapazes de vê-los como crianças, partiam do ponto de vista de que, se chegavam sozinhos ou eram separados das famílias, mereciam ser tratados como delinquentes: tinham violado a lei. Frank sempre manifestava otimismo; em vez de intimidá-lo, os obstáculos da lei o entusiasmavam. Seu plano era conseguir que Anita ficasse permanentemente nos Estados Unidos. Se não encontrassem a mãe, ele tentaria obter permissão de residência, o chamado *green card*, já que Anita poderia ser qualificada como menor abandonada. Isso demoraria dois ou três anos. Em caso de se provar que a mãe estava morta, ela sem dúvida receberia asilo e, com o tempo, Leticia talvez pudesse adotá-la. Paciência, recomendava Angileri, a burocracia era árdua e lenta.

O velho esperava o encontro com Selena ansioso como um noivo. Aquele encontro semanal teria sido impossível em tempos normais, porque ela morava no Arizona, mas a pandemia lhes permitia conversar numa tela como se estivessem no mesmo aposento, e até tomavam chá juntos, ela em seu escritório, ele em seu estúdio. Samuel imaginava que a jovem não se entediava demais com ele, visto que desviava do assunto de Anita e lhe falava de sua vida, de sua estranha família de mulheres, que ele gostaria de conhecer, de seus problemas no trabalho e de sua relação com o amor. Ela, tão clara em seus objetivos profissionais, no sentimental estava atormentada pela incerteza.

— O senhor é o pai que eu gostaria de ter — disse ela em certa ocasião.

— Digamos que eu poderia ser seu avô. Na realidade não sou bom pai de minha filha nem bom avô de meu neto. Isso me pesa na consciência.

Selena conversou com Samuel sobre Milosz Dudek, contou que, nas guerras do Iraque e do Afeganistão, ele tinha chegado ao posto de sargento, mas voltou desiludido e convencido da inutilidade da ocupação americana naqueles países. A experiência no exército definiu sua personalidade e o afastou do pai, que tinha um caráter explosivo, capaz de aterrorizá-lo na infância e de esmagá-lo na adolescência. Não voltou a morar perto da família em Chicago e só visitava os seus em ocasiões especiais; também não sentia falta da comunidade polonesa, na qual havia crescido. Tinha aparência de gladiador, tenacidade para o trabalho e uma retidão um tanto antiquada de amor a Deus, à pátria e à família, mas a característica que mais atraía Selena era sua alma romântica. Tinham se conhecido quando ele saíra do exército, e ela acabava de se formar na escola secundária; ele era um homem curtido pelo serviço militar, iniciando-se na vida civil como motorista de caminhão, e ela, menina mimada pelas mulheres Durán, mal botava o nariz para fora de casa e da escola.

Ao conhecê-la, Milosz acreditou e continuou acreditando por alguns anos que podia formá-la, ajudá-la a amadurecer e guiá-la na vida; gostaria de casar-se imediatamente, mas ela pretendia estudar. Ele não tinha feito curso superior, e as poucas mulheres profissionais que conhecia o deixavam pouco à vontade, pois se sentia depreciado. Achava inútil Selena ter uma profissão, já que seu futuro seria de esposa e mãe, mas ela se matriculou na faculdade de assistência social sem perguntar sua opinião e, quando ele quis dá-la, ela riu. "Você é um troglodita, Milosz. Por isso gosto de você, porque você é um projeto", disse alegremente. O projeto de Selena consistia em modificá-lo e, com o tempo, conseguiu em boa medida. O projeto de Milosz, porém, foi perdendo força pelo caminho, porque ela se mostrou pouco inclinada à domesticidade.

— Não sei por que ele gosta de mim — confessou Selena a Samuel. — Ele é meticuloso, organizado, pontual, tem terror a germes, lava alface com sabão, não suporta desperdício, confusão e excessos. É regido por horários, distâncias e rotinas. Eu, ao contrário, vivo o dia a dia, deixo tudo desarrumado e as portas abertas, não faço ideia de quanto dinheiro tenho na carteira, perco as chaves... Enfim, sou um desastre.

Selena não confessara a Samuel sua relação amorosa com Frank. Sentia-se confusa e envergonhada por trair Milosz. Frank sabia que ela estava comprometida com Milosz, tinha visto a aliança no seu dedo, mas disse que, enquanto não estivesse casada, ela era livre, e ele se outorgava o direito de conquistá-la. Achava que, se ela havia evitado o casamento durante tantos anos, era por não estar apaixonada. Tal como todo o pessoal do escritório de advocacia, tinha permanecido isolado a partir de março por causa da pandemia, trabalhando em seu apartamento. Os casos pendentes ficaram suspensos, porque os tribunais estavam em recesso. Também não pôde fazer avançar o processo de Anita Díaz. Aqueles meses de isolamento, que iam se prolongando muito mais do que se esperava, obrigaram-no a mudar de vida. Frank sentia falta dos restaurantes e bares, das viagens, da academia e das partidas de tênis, mas, principalmente, sentia falta de estar com ela. Adeus aos planos de viverem juntos, como desejava. Era preciso esperar. Encontrava-se com Selena pelo Zoom e lhe mandava presentes variados, desde livros e flores até um serviço de comida cetogênica, que entregava o prato do dia no seu apartamento em Nogales.

As viagens de avião tinham sido restringidas e eram perigosas, mas em junho Frank, não suportando mais a separação, foi vê-la. Alugou um carro e equipamento de acampar, pegou-a em casa, e os dois foram passar um fim de semana no parque do lago Patagônia. Embora fosse verão, não havia um único turista e tudo estava fechado, o que pressupunha uma vantagem para a breve lua de mel que ele havia imaginado. Tinha decidido aproveitar aqueles dois dias para demostrar a Selena que ela não podia viver sem ele. Sua experiência de acampamento era praticamente nula, mas, inspirado pelo amor, conseguiu improvisar e naquela escapada quase atingiu seu propósito. Concluiu que, se tivesse à disposição mais três dias, teria convencido Selena a deixar tudo de lado, abandonar o emprego e passar a pandemia com ele em São Francisco. Tinha planos para o futuro: ia financiar a universidade de direito para ela, que assim se diplomaria sem dívida estudantil e, quando isso acontecesse, ele se desvincularia e abriria seu próprio escritório. Já podia ver as letras douradas na porta: ANGILERI E DURÁN, ADVOGADOS.

Enquanto isso, Milosz dirigia caminhões como sempre, sem desconfiar da existência de Frank Angileri nem do papel que este desempenhava na vida de sua noiva. Muitos de seus colegas e os habitantes das cidades mais conservadoras onde ele precisava parar acreditavam que o vírus era um engodo da oposição. A máscara adquiriu significado político. Milosz sempre a usava, mesmo se expondo ao risco de ser ridicularizado. Seu horror a germes e a doenças exacerbou-se, ele desinfetava as mãos e tudo o que estava a seu alcance. Como não podia ter certeza de que estava livre de contágio, deixou de visitar a casa das Durán e de ver Selena, mas lhe telefonava seguidamente para dizer que a adorava e estava contando os minutos para voltar a vê-la; também lhe perguntava onde estava e o que fazia. Essas atenções, se vindas de Frank, deixavam-na lisonjeada como prova de amor, mas, quando provenientes de Milosz, deixavam-na incomodada como prova de desconfiança. Tem razão de desconfiar, pensava ela, envergonhada por enganá-lo.

— Gosto muito do Milosz, ele é leal como um bom cachorro — confessou a Samuel. — Me esperou muitos anos. Milosz não tem dúvidas, para ele a vida é simples, é só se ater às normas básicas de decência.

— O que ele acha de seu emprego com as crianças? — perguntou Samuel.

— Ele diz que o problema é da responsabilidade do governo e que não é possível aceitar milhões de imigrantes, que é preciso preservar o país que temos e nossos valores. Mas entende que separar as crianças dos pais é horrível, não pode nem imaginar o que faria se tirassem um filho dele. Diz que isso é totalmente antiamericano.

— Está enganado, é mais americano do que ele pensa, Selena. Os filhos dos escravos eram arrebatados dos pais e vendidos. As crianças das tribos americanas eram retiradas da sua sociedade para serem "civilizadas" em espantosos orfanatos do Estado. Milhares daquelas crianças morreram de doenças contagiosas e de desnutrição, e não há nem túmulos com os nomes delas.

— Certo, Samuel. Aqui as crianças só são sagradas quando são brancas.

Samuel sabia que alguma coisa havia acontecido entre Selena e Frank Angileri na viagem que tinham feito em fevereiro, meses antes de trazerem Anita. Ela fora dizendo aos poucos, mas bastava somar dois mais dois para adivinhar o que ela ainda omitia. Embora nunca os tivesse visto juntos pessoalmente, só por Zoom em poucas ocasiões, parecia-lhe natural que Frank estivesse apaixonado; Selena exercia uma atração poderosa, como a força da gravidade.

— Deve ser maravilhoso ter um único amor, como o senhor teve — comentou ela em certa ocasião.

— Quantos amores você já teve? — perguntou ele.

— Meu único noivo foi Milosz, como lhe contei. Íamos nos casar em abril, mas veio a covid-19, e o casório foi adiado. Ele me deu um ultimato: ou nos casamos quando existir vacina e a pandemia terminar, ou não nos vemos nunca mais. Diz que não pode continuar esperando, que deseja uma família, deseja filhos.

— E você, o que decidiu?

— Não sei se quero me casar. Não estou pronta para ter filhos, quero estudar e continuar trabalhando. O casamento é um compromisso para sempre, isso é muito tempo, não acha?

— Isso é, mas, se estivesse apaixonada, não pensaria assim.

— Então, pode ser que eu não esteja apaixonada.

— Não o suficiente. Como se sentiria sem Milosz? — perguntou Samuel.

— Muito triste, ele é o melhor homem do mundo...

— Mas não se sentiria sozinha, certo?

— Não.

— Entendo. Há outro homem, por isso está confusa.

— É...

— O que esse outro homem lhe oferece, Selena?

— Interesses comuns, um mundo diferente do que sempre tive, outro ambiente, ideias, projetos, planos, viagens, liberdade, nada da vida doméstica por enquanto.

— Ele lhe oferece o tipo de amor que seu noivo lhe dá?

— Acho que eu nunca seria o centro da vida dele, como sou na de Milosz. Mas ele me propôs vivermos juntos e acredito que isso daria certo, e com o tempo o amor cresce e se consolida.

— Nem sempre, Selena.

— O que o senhor me aconselha?

— Esperar. Não precisa decidir entre um e outro.

— Milosz não aceitaria uma nova postergação do casamento. Faz anos que suporta os meus caprichos. Não tenho o direito de continuar brincando com os sentimentos dele.

— Essa não é uma boa razão para se casar. Nesse assunto, aconselho a pensar só em você, não ceda à pressão de nenhum desses dois apaixonados, porque você poderia se arrepender.

Samuel, por sua vez, contava seu passado a Selena falava de Nadine LeBlanc, de sua música, do inevitável processo de envelhecimento, e ela se interessava por tudo. Sua memória era composta pelos melhores e pelos piores momentos; o resto se fora perdendo pelo caminho, mas Selena queria conhecer os detalhes. Perguntava muito de Nadine, fascinada por sua personalidade, sua arte, seu ativismo e desprendimento. Por uma dessas estranhas casualidades, descobrira que Nadine era uma das fundadoras do Projeto Magnólia, a organização sem fins lucrativos para a qual ela trabalhava. Na verdade, o projeto devia o nome a ela. A magnólia é a flor de Nova Orleans, onde Nadine nascera. O viúvo não se surpreendeu em absoluto quando Selena lhe falou da participação de Nadine naquela organização. Ele lhe explicou que, como esposa e mãe, Nadine era negligente, pois estava tão ocupada com teares, amizades e atividades misteriosas que raramente compartilhava com ele; mas não gostava menos dela por isso, ao contrário, admirava-a. Camille sentia o mesmo; discutia muito com a mãe, mas agradecia que ela estivesse sempre distraída com suas coisas e não a vigiasse, o que lhe dava grande liberdade.

– Em mim também não prestava muita atenção. No começo, eu ficava ressentido, achava que ela não me amava o suficiente, mas com os anos me acostumei e deixei de lhe pedir o que ela não era capaz de dar. Estava absorta na sua própria vida, não precisava de mim nem de ninguém — disse.

Para responder às perguntas de Selena, ele se viu forçado a organizar suas lembranças e refletir. "Eu me vou primeiro, Samuel. Não perca o tempo que lhe resta", disse Nadine dias antes de cair na inconsciência da agonia. Ao revisar o passado, ele concluía, angustiado, que na verdade perdera tempo e, quando se fosse deste mundo, deixaria apenas um rastro de poeira que se esfumaria na luz do primeiro amanhecer. Não fizera nada por ninguém. Antes que Anita viesse bater à porta de sua casa, ele se limitara a ser testemunha do mundo durante seus oitenta e tantos anos de existência, protegido da incerteza por uma cautela calculada. A dor da infância de órfão e imigrante o tornara retraído; ele se refugiou na vocação musical. Nadine dizia que a indiferença é um dos pecados capitais que, cedo ou tarde, precisa ser expiado. Tinha razão. Na velhice, aquele pecado se transformara num demônio tenaz que o assaltava em pesadelos e nos momentos em que a solidão e o silêncio o envolviam. Como gostaria de começar de novo, pensava, imaginando outra vida, uma vida como a de Nadine, gozada e sofrida a fundo, com riscos, desafios e quedas, uma vida valente.

— Nadine e eu estivemos juntos durante décadas, mas cada um viveu em seu próprio espaço. Mesmo assim, ela me faz muita falta — contou a Selena.

— Era uma mulher muito especial. Como não sentir falta dela?

— Não deveria ter morrido antes de mim. Nos meus primeiros meses de viuvez ela me aparecia. Não sou um tipo imaginativo e não acredito em espíritos, mas juro que a via entrar nos quartos e sair, subir a escada, sentar-se à mesa. Já não a vejo com aquela clareza, mas às vezes a sinto ao meu lado. Sabe que isso acontece com a Anita e a irmã Claudia?

— Sei. Tenho uma avaliação psicológica dela feita em Tucson, porque ela não queria comer, falava sozinha, não brincava com outras crianças e urinava na cama.

— Molhar a cama já não acontece quase nunca — interrompeu Samuel.

— Fico feliz, porque isso lhe causava muito sofrimento.

Selena lhe contou que tinha falado com Eduvigis, a avó, e ela lhe explicara que Anita tinha começado a falar com a irmã depois do acidente. Em El Salvador, tinha feito tratamento com uma psicóloga da escola durante uns meses e estava dando os primeiros passos para aceitar a morte da irmã e recuperar-se do luto, quando teve de viajar aos Estados Unidos. Segundo a avaliação feita em Tucson, ela havia sofrido um retrocesso no desenvolvimento emocional. Precisava de terapia, como todas as crianças separadas das famílias, mas não havia orçamento para isso.

— Vou cuidar disso assim que for possível — prometeu Samuel. — Acho que a presença de Claudia é um consolo para Anita, assim como a de Nadine para mim. Digamos que é uma mistura de amor e vontade de recordar. Anita não está louca nem eu tenho Alzheimer, garanto.

— Claro que não! — exclamou Selena. — Não me surpreende nem um pouco a visita dos espíritos queridos, não se esqueça de que me criei com uma avó vidente. A viuvez costuma ser muito dura. O senhor às vezes se sente sozinho?

— Antes, sim, o tempo todo. Agora não. Graças a você estou mais feliz do que estive em vários anos. Você me deu um objetivo nesta última etapa da minha vida. Agora eu tenho uma responsabilidade fundamental e posso começar a pagar meu pecado de indiferença.

— Está se referindo a Anita?

— Estou. Que presente maravilhoso você me trouxe, Selena!

Na terceira terça-feira de setembro, Selena ligou de improviso para Samuel. Ele imaginou que seria algo importante, já que por norma entravam em contato nos sábados. O tom alterado da voz dela confirmou sua suspeita.

— O senhor está sozinho? — perguntou.

— Sim, no meu estúdio.

— Feche a porta, por favor. É confidencial.

— Um momento... A Anita ouve através das paredes e o que não ouve adivinha. Não há segredos para ela.

— Ela não pode ouvir o que vou lhe dizer, tenha cuidado com o que me disser. Lembra que lhe falei de Lola, a motorista do táxi rosa em El Salvador?

— Sim. O que aconteceu com ela?

— Ela acaba de me ligar. Há um escândalo no seu país. Trata-se de uma série de crimes. Foram descobertos vários cadáveres no pátio de uma propriedade na cidade de Chalchuapa; alguns datam de vários anos, mas a maioria é recente.

Contou que os vizinhos ouviram os gritos de uma mulher e chamaram a polícia, que chegou com uma hora de atraso. Aí já era tarde. Encontraram uma jovem assassinada a golpes de barra de ferro. Prenderam o dono da casa, mas, a pedido dos vizinhos, que suspeitavam fazia muito tempo de que algo terrível acontecia lá, cavaram o pátio e descobriram restos humanos em várias valas comuns.

— Até agora as vítimas são mulheres e meninas. Suspeita-se de que há mais corpos enterrados — disse Selena.

— Outro caso de violência de gênero... — murmurou Samuel.

— A propriedade pertence a Carlos Gómez, um ex-policial exonerado há vários anos por ataque a uma menor. Esse é o homem que atirou em Marisol Díaz.

— O que está dizendo! — exclamou Samuel.

— Está detido. É o principal suspeito, e também prenderam outros homens como parte do bando que sequestrava, torturava e assassinava mulheres e meninas. Lola receia que Marisol esteja entre as vítimas.

— Você e Angileri não encontraram rastro dela quando foram procurá-la.

— É muita coincidência, não acha? — disse Selena. — Aquele homem quis matar Marisol, e o mais provável é que tenha conseguido.

— Como?

— Não acho que ela tenha sido deportada para seu país, imagino que tenha sido mandada ao México para esperar a sua vez de apresentar o pedido de asilo. O senhor sabe que os acampamentos estão controlados por criminosos. É possível que Marisol tenha sido raptada e levada a El Salvador.

— Por quem e para quê? — perguntou Samuel.

— Na fronteira há muito tráfico humano, especialmente de mulheres e crianças. Carlos Gómez esteve metido nesse negócio, tem conexões. Como ele mesmo me disse, conhece todo mundo.

— Imagino que esses sequestros custem dinheiro, Selena, e, pelo que você me contou, Carlos Gómez é só um porteiro de condomínio.

— Guarda de segurança. Não acho que tivesse de pagar. Entre criminosos há acordos, trocas de favores. Gómez precisava silenciar Marisol e na certa queria se vingar do seu desprezo. Era fácil conseguir que ela fosse sequestrada no México, levada primeiro para a Guatemala e de lá introduzida por terra em El Salvador; por isso não há registro de sua entrada no país — disse ela.

— Isso não se pode provar, Selena.

— Acabo de me lembrar que, quando falei com Carlos Gómez na minha viagem a El Salvador, ele disse que Marisol tinha cabelo lindo e o havia raspado. Como ele sabia disso? Ela cortou o cabelo quando chegou ao México, antes de entrar no trem. Gómez não podia tê-la visto de cabelo raspado, a não ser que Marisol tivesse voltado ao seu país. Se tivesse retornado por vontade própria, teria ido para a casa da sogra ou do irmão, mas ninguém a viu por lá. Ai, Samuel, tenho medo de que Marisol esteja numa daquelas covas. O que vai ser de Anita?

— Dela eu cuido enquanto puder — respondeu Samuel. — Mas não vamos nos precipitar, é preciso esperar a identificação dos corpos.

— Há algo mais que eu não lhe disse antes, porque isso, sim, é maluco.

E então Selena lhe contou a visão da avó, Dora Durán. Samuel não tinha ouvido falar dela antes da menção de Selena quando esta descreveu sua família, mas, ao ficar a par de seus acertos de vidente, passou a ter respeito por ela. Sabia que Selena a tinha levado para conhecer Anita em Nogales e que a mulher sentira a força psíquica da menina. Ele nunca tinha acreditado em fenômenos paranormais até viver a estranha experiência de ver o espírito de sua mulher. Havia uma explicação lógica para isso, como lhe esclareceu o psiquiatra consultado na época: eram alucinações causadas pela idade e por profunda depressão. Prova de que o diagnóstico era acertado foi que, com uma combinação de psicoterapia e medicamentos, as visitas além-túmulo de Nadine terminaram, mas ele não ficou totalmente convencido de ter sofrido distúrbios mentais. Achava que o fato de algo não poder ser explicado não significa que não exista, mas se absteve de discutir aquele ponto com o psiquiatra. Decidiu dar o benefício da dúvida a Dora Durán.

— Marisol Díaz apareceu em sonho à minha avó. Estava debaixo da terra e não estava sozinha.

— Desculpe, Selena, mas esse é o caso clássico da profecia depois dos fatos — rebateu ele.

— Isso foi em junho, muito antes de começarem a desenterrar aquelas mulheres no pátio de Carlos Gómez.

Tal como Frank comentou com Selena e Samuel quando se comunicaram por Zoom naquele mesmo dia, o sonho de uma vidente de Los Angeles não era de nenhuma utilidade; ele podia imaginar a cara do juiz se apresentasse um sonho como argumento na petição de asilo de Anita. Os crimes de Chalchuapa em nada mudavam a situação da menina, a menos que se comprovasse que sua mãe estava entre as vítimas. Ele entrou em contato imediato com o amigo Phil Doherty, que lhe passou todas as informações disponíveis sobre os assassinatos. O acesso à rua dos crimes estava vedado, nem a imprensa podia se aproximar, mas Doherty tinha contatos e sabia se valer de sua condição de diplomata, respaldado pelo poder da embaixada americana.

A atrocidade do acontecimento convulsionou o país, embora a violência fosse tão frequente que a imprensa publicava diariamente o número de vítimas do dia. Precisaram isolar Carlos Gómez e seus comparsas na prisão para evitar que outros presos os massacrassem. O presidente prometeu justiça e anunciou a criação de uma unidade especial da Procuradoria Geral para atender os crimes contra mulheres e crianças. Eduvigis Cordero foi várias vezes à polícia denunciar o desaparecimento da nora e a perseguição que ela havia sofrido do suspeito dos assassinatos em série. Desde o achado sinistro, a avó era mais uma entre as pessoas que se postavam desde o amanhecer para esperar perto da casa do horror, como foi chamada pela imprensa. Como ela, todos procuravam alguém que havia desaparecido. As equipes da perícia, cobertos da cabeça aos pés, como astronautas, escavavam com o cuidado de arqueólogos, porque os corpos estavam empilhados, e em muitos casos os ossos tinham se misturado. Nas primeiras escavações, contaram vinte cadáveres e ainda iam aparecendo outros.

Selena convenceu Frank de que não podiam ficar de braços cruzados esperando os resultados da identificação das vítimas. O processo era lento, e a imprensa começava a especular com a possibilidade de que homens poderosos envolvidos nos assassinatos estivessem tentando embaralhar o caso. Naqueles dias abriram por fim o aeroporto de São Salvador, que durante meses estivera fechado para estrangeiros por causa da pandemia, e imediatamente Frank comprou passagens para ambos.

Naquela ocasião Selena pôs Milosz diante da verdade: anunciou que ia viajar pela segunda vez com Frank Angileri, com quem mantinha relação amorosa fazia vários meses. Fez o comunicado primeiro por e-mail e depois a confirmou por telefone, dando graças a Deus pelo fato de a pandemia lhe oferecer um bom pretexto para não fazer aquilo pessoalmente. Temia a reação de seu persistente apaixonado, mas descobriu que ele já desconfiava de algo do tipo e estava mais ou menos preparado. Sua tolerância tinha se esgotado, e ele havia concluído que, se ela o amasse na mesma medida em que ele a amava, nenhum obstáculo, nem mesmo aquele maldito vírus, teria impedido que eles ficassem juntos. Podia entender muitas coisas, disse, mas nunca poderia lhe perdoar a mentira e o fato de tê-lo traído daquela maneira, de tê-lo enganado durante meses. A conversa foi tensa e breve. Ao se despedir, Milosz anunciou que não queria saber dela nunca mais, que tinha chegado o momento de dar a volta por cima e esquecê-la. Estava profundamente ferido; dessa vez era sério, disse, não haveria reconciliação, como antes.

Para Selena, aquele foi o fim de um noivado tumultuado que a esgotava e a fazia sentir-se culpada. Depois de se despedir pela última vez, começou a chorar de alívio. Havia suportado a pressão de Milosz durante oito anos e só naquele momento, ao se tornar livre, compreendeu como lhe havia pesado aquele amor obsessivo que a prendera desde muito jovem. Não podia cair em situação semelhante com Frank. Amava-o, era verdade, mas o conhecia pouco e não ia permitir que ele a apressasse nem que a enredasse em seus planos; ela precisava de espaço e tempo, como lhe aconselhara Samuel. Pela primeira vez, sentia que seu futuro pertencia só a si mesma. Dispôs-se a desfrutar do amor de Frank com leveza, sem amarras.

Ao entrarem em El Salvador, os passageiros eram submetidos imediatamente a uma quarentena, mas Frank e Selena livraram-se disso porque Phil Doherty os esperava na porta do avião e os levou a uma sala VIP do aeroporto. Foram atendidos privadamente por um funcionário de imigração, mascarado e com luvas de borracha, que carimbou seus passaportes e lhes deu boas-vindas. Depois Phil os levou para casa, onde sua esposa havia preparado um quarto para eles, pois ali estariam mais protegidos do vírus do que num hotel. Não passou pela cabeça da anfitriã perguntar se preferiam quartos separados, supondo que fossem casados.

Naquela noite, Selena e Frank fizeram amor com a maior discrição possível, entre cochichos e risadas abafadas, mas os rangidos da cama os delataram. Não passavam uma noite inteira juntos desde junho, na escapada para o lago Patagônia, e várias vezes, até o amanhecer, puderam apreciar a diferença entre um colchão macio e um saco de dormir numa barraca de acampamento.

No dia seguinte, Phil foi com eles ao Instituto Médico Legal, para onde iam levando os restos das valas à medida que eram exumados. Também lá havia gente esperando pacientemente. Entre aquelas pessoas estava Genaro Andrade, que os reconheceu e lhes acenou de longe. Selena aproximou-se dele.

— Sabe alguma coisa da sua irmã? — perguntou.

— Nada. Não arredo daqui há dois dias. Muitos daqui vieram de longe como eu.

— Estão dando notícias?

— Sim, quando há. Já identificaram três vítimas, publicaram os nomes, e os familiares puderam retirar os restos para sepultar. Vão deixar vocês entrar?

— Esperamos que sim. Se tivermos notícias de Marisol, mando-lhe imediatamente um aviso pelo celular.

O diretor de antropologia forense os recebeu em seu gabinete e explicou o procedimento habitual, esclarecendo que tinha solicitado a ajuda de patologistas de outras cidades, porque o recinto estava lotado. Carlos Gómez havia confessado e dado os nomes de nove cúmplices, mas suspeitava-se de que havia outros membros daquele clube sinistro de depravados. Em seu depoimento, tinha dito que, pelo que se lembrava, havia entre trinta e quarenta corpos naquele pátio, não tinha certeza do número, porque alguns se encontravam ali fazia anos, e ele não fizera a conta. Não dava mostras de estar muito arrependido, ao contrário, parecia estar gostando da notoriedade.

O diretor os levou às salas de autópsia, onde todas as mesas estavam ocupadas; outros corpos esperavam nas geladeiras. O primeiro impacto foi o cheiro de morte e desinfetante que as máscaras não conseguiam disfarçar. Reinavam limpeza e ordem no local. Os profissionais agiam com eficiência e respeito, quase em silêncio; pareciam tão horrorizados quanto Selena e Frank.

— Esse é nosso trabalho — explicou o diretor. — Estamos acostumados à morte em todas as suas manifestações, mas às vezes desabamos. O pior é quando deparamos com crianças…

Aproximaram-se de uma das mesas, onde quatro pessoas se atarefavam em torno de um corpo pequeno. Um dos médicos explicou que se tratava de uma menina de dois anos. Sua voz estava embargada, e ele pigarreava atrás de sua máscara dupla, tentando conter a ira e o horror.

— Calculamos que o corpinho ficou enterrado mais ou menos um ano. Vamos fazer os testes de DNA para a identificação; há três ou quatro famílias à procura de meninas desaparecidas, mas são um pouco mais velhas. Imagino que não querem saber como morreu — disse em tom desafiador.

— Não estamos aqui por curiosidade mórbida, doutor. Estamos à procura de uma jovem — respondeu Selena.

— Sinto muito… Alguém da família?

— É a mãe de uma menina para quem estamos tentando conseguir asilo nos Estados Unidos — disse ela, e passou a resumir o drama de Anita.

— Quase todos os restos mortais que temos até agora correspondem a mulheres jovens. Têm alguma forma de identificação?

Selena lhe mostrou cópias das fotografias que Eduvigis Cordero lhe dera e da que figurava no relatório de imigração em Nogales.

— Chama-se Marisol Andrade de Díaz. Como está vendo, doutor, chegou aos Estados Unidos com o cabelo cortado como homem. Também pode ver que tem os dentes da frente separados. Se estiver entre as vítimas, seu cadáver é recente, não mais de nove meses, porque falei com ela por telefone em dezembro do ano passado.

— Levou um tiro no peito. A bala passou a dois centímetros do coração e atravessou duas costelas. Haveria vestígio disso? — perguntou Frank.

— Possivelmente. Vou mostrar os corpos que chegaram.

Levou-os às geladeiras, três fileiras sobrepostas de gavetas metálicas, e foi abrindo uma a uma. Em algumas bandejas havia ossos e trapos podres, mas na maioria os corpos estavam inteiros, em diferentes graus de decomposição. Nenhuma se parecia com Marisol nem tinha o cabelo tão curto como o dela. Selena precisou sair para o ar livre, amparada por Frank e Phil, porque seus joelhos dobravam. Conseguiu chegar ao pátio antes de vomitar.

— Continuarão sendo exumado os restos mortais que chegarem aqui nos próximos dias. Se houver alguém com as características de Marisol, avisarei — prometeu o diretor ao se despedirem.

Para que eles se locomovessem, Phil Doherty pôs à disposição de seus hóspedes um automóvel com motorista e um segurança da embaixada. Considerou que táxi rosa era pitoresco, mas não estava à altura das graves circunstâncias que eles estavam vivendo. De qualquer modo, convidou Lola para tomar um trago em sua casa naquela mesma noite e, entre um *manhattan* e outro, contaram-lhe a experiência no Instituto Médico Legal.

No dia seguinte, Frank e Selena foram a Chalchuapa para falar com Eduvigis Cordero. Encontraram-na envelhecida e muito magra, mas ela não se sentia deprimida, e sim furiosa e disposta à ação. Pelas redes sociais, um grupo de ativistas estava organizando um protesto de massa em nível nacional. O plano era um dia de greve geral de todas as mulheres, nenhuma iria trabalhar nem realizaria tarefas domésticas, sairiam às ruas para manifestar-se contra o feminicídio. Eduvigis já havia mobilizado amigas e companheiras do anil.

— Esta é uma guerra contra as mulheres. Somos estupradas, torturadas e mortas com toda a impunidade. Chega! — exclamou a avó.

Selena e Frank foram com ela à casa do horror. No carro com chapa diplomática puderam ultrapassar os cordões de isolamento e aproximar-se. Era uma moradia de boa construção, num terreno grande, nos arredores da cidade. Eduvigis disse não ser verdade que se tratava só de crimes antigos, como sugerira o governo, mas que a maioria era de vítimas de violência recente.

— Elas merecem justiça, assim como os milhares de outras mulheres e meninas que morrem assassinadas sem que ninguém pague por isso.

— Esperamos que não seja o caso de Marisol — disse Selena.

— Ninguém me tira da cabeça que quem matou a minha nora foi Carlos Gómez. Ele já havia tentado antes. Pode ser que ela não seja encontrada nesse pátio, mas tenho certeza de que ela já não está neste mundo — respondeu Eduvigis, enfática.

— Se ela não aparecer, a situação de Anita será incerta — interveio Frank.

— Rezo muito para que a minha neta volte a ver a mãe, mas também rezo para ela ficar com a tia no Norte, em caso de Marisol ter falecido. O que eu posso lhe oferecer aqui? Meu carinho e nada mais. Não posso protegê-la nem lhe dar uma boa escola, não posso operá-la dos olhos. O que vai ser dela?

— Vamos fazer tudo o que for possível para ajudá-la, Eduvigis, prometo — disse Selena, abraçando-a.

— E eu prometo que, se Anita ficar nos Estados Unidos, eu mesmo venho buscá-la para ir visitá-la. A menina tem muita saudade da senhora — acrescentou Frank.

Justamente naquele momento um veículo branco saía da propriedade, e um dos guardas lhes explicou que se tratava de um necrotério móvel, onde mantinham os cadáveres congelados até que houvesse vaga no Instituto.

— O senhor chegou a ver o corpo? — perguntou Selena.

— Não. Lá vão duas vítimas. A única coisa que eu sei é que também são mulheres — respondeu o guarda.

Despediram-se de Eduvigis garantindo-lhe que, tão logo tivessem qualquer notícia, ela seria a primeira a saber.

Voltaram ao Instituto Médico Legal para esperar com as outras pessoas que choravam por suas desaparecidas.

Alguns dias depois, Selena e Frank chegaram ao aeroporto de São Francisco e de lá foram diretamente a Berkeley. A casa de Samuel Adler, com seu encanto inegável de mansão antiga, estava meio submersa no jardim emaranhado, que já dava mostras de entrar no outono. Era começo de tarde, e a luz do sol se filtrava entre as nuvens, conferindo-lhe um aspecto teatral, com suas torrinhas e seus pilares fantasiosos. O portão do jardim estava sem chave, e eles entraram anunciados pelos latidos de Paco. A campainha não funcionava desde 1978.

Ao ouvi-los, Anita apareceu na porta, agarrada à coleira de Paco. Selena subiu correndo os cinco degraus da entrada e a estreitou demoradamente nos braços.

— A mamãe veio com vocês? — perguntou a menina.

— Não, Anita — murmurou Selena, disfarçando a emoção.

Como se pressentisse algo, a menina não insistiu. Levou-os pela mão para o interior da casa e mal lhes deu tempo de cumprimentar o restante da família, porque queria mostrar-lhes o computador com teclado especial para deficientes visuais, a meia dúzia de árvores de Natal iluminadas, que Leticia borrifava com um aerossol de pinho e ela localizava pelo cheiro, e outras coisas que não pudera comunicar a Selena por Zoom. Ainda estava muito magra, mas tinha boas cores. Mostrou-lhes como conseguia ler música com lupa nas partituras que Samuel escrevia com formas grandes. Tinha pouco entusiasmo por aprender braille, porque não queria ir a uma escola para cegos.

— Meus olhos vão se curar e eu vou pra uma escola normal, como a de antigamente — anunciou.

Por fim, Leticia conseguiu distraí-la na cozinha para que Selena e Frank pudessem falar com Samuel a portas fechadas, no estúdio.

— Precisamos dizer uma coisa, Samuel — disse Selena.

— Imagino que deve ser importante. Até que enfim o conheço pessoalmente, Frank.

— Isso não poderia ser comunicado de outra maneira. Não sei como começar... — balbuciou Selena.

— Não precisam usar rodeios comigo, estou muito velho para isso.

— É... é sobre Marisol... Acabamos de voltar de El Salvador, fomos por causa dos crimes de Chalchuapa. Encontraram a Marisol.

— Ai, meu Deus! — exclamou Samuel pondo as mãos no peito, pois de imediato sentiu uma pontada. — Têm certeza de que é ela?

— Sim. Não estava nas valas comuns, mas numa cova recente no outro extremo da propriedade, por isso foi a última exumada. Não há nenhuma dúvida de que são seus restos mortais. O irmão Genaro reconheceu o corpo e eu também, pelas fotos.

— Na radiografia apareceu o impacto da bala que ela levou no peito — acrescentou Frank. — Morreu há alguns meses, o corpo pode ser identificado, apesar de o clima quente e úmido acelerar a decomposição.

— Acompanhamos Eduvigis e Genaro no enterro de Marisol. Samuel... Samuel... está se sentindo bem? — perguntou Selena, alarmada.

— Estou .. Estou. É a taquicardia, que me faz passar maus momentos. Nada grave... — respondeu ele, pondo um comprimido na boca.

— Está muito pálido. Vou chamar a Leticia.

— Não, por favor. Em poucos minutos estarei bem. Digam tudo o que sabem.

— Para que vamos dar detalhes? São atrozes. Espero que Anita nunca saiba como a mãe morreu. Mas vai ter de saber que não voltará a vê-la — disse Frank, emocionado, passando a mão pela testa.

— Quem vai dizer? Eu não sou capaz — murmurou Samuel, trêmulo. — Mas a menina não pode viver esperando, como aconteceu comigo mais ou menos na mesma idade. O golpe vai ser duríssimo para ela, mas é inevitável.

— Por que não esperamos um pouco? — sugeriu Selena. — Anita ainda está muito frágil, precisa de tempo. À medida que for se acostumando aqui nesta casa, irá superando o trauma de tudo o que lhe aconteceu. Com carinho e ajuda psicológica...

— Engano seu, Selena, trauma não se supera, a gente simplesmente aprende a viver com ele — interrompeu o velho.

— Eu também não consigo dar essa notícia agora, Samuel. Ela mal está começando a viver com normalidade. Você e Leticia lhe deram uma família, muito afeto, logo ela irá para a escola, terá amigos... Como vou dizer o que aconteceu com sua mãe?

— Se acharem melhor, vamos ver como se resolve o pedido de asilo. Tudo muda com a prova de que Anita é órfã — sugeriu Frank.

— Enquanto isso, Leticia e eu podemos ir preparando o espírito dela aos poucos. Na verdade, eu não saberia como fazer isso, mas vamos tentar — disse Samuel, que começava a recuperar a cor. — A vocês cabe a parte legal. O resto é responsabilidade minha e de Leticia. Conosco Anita está segura.

Epílogo

Berkeley, janeiro de 2022, um ano e quatro meses depois

Num sábado, Samuel e Anita estavam tocando uma sonatina ao piano quando Selena e Frank chegaram à casa assombrada, como faziam com frequência. A pandemia não havia terminado, mas, como a maioria das pessoas estava vacinada, a vida recuperava certa normalidade e era possível fazer visitas. Selena estava morando em São Francisco e estudando direito na faculdade Hastings. Tinha adotado Samuel, Leticia e Anita como membros de sua família. Samuel, por sua vez, encontrava nela a filha afetuosa que nunca tivera em Camille. Selena, porém, não podia ficar com eles em Berkeley, como lhe tinha sido oferecido em várias ocasiões, porque estaria muito longe da universidade.

A relação entre Selena e Frank acabara sendo mais profunda do que os dois esperavam, mas ela insistia em se manter independente. Não morava no amplo apartamento de Frank, tinha alugado um quarto num bairro de estudantes. Sabia que ele podia ser dominador e ciumento como Milosz, ainda que com estilo mais disfarçado. "Estou te treinando e é coisa para muito tempo, porque você ainda tem muito que aprender", costumava dizer, e ele ria, mas no fundo sabia que não era brincadeira. Com a mesma franqueza, Selena rejeitara sua sugestão de montarem um escritório juntos no futuro. "Não me convém, Frank, eu acabaria fazendo todo o trabalho, e você teria os créditos." O sábado era a ocasião semanal do chá da tarde na casa de Samuel, e eles tinham muito que celebrar: o asilo de Anita, que por fim Frank havia obtido, e sua operação. Leticia estava na cozinha preparando o chá de acordo com o gosto do patrão, que tinha ideias rígidas sobre aquela cerimônia das cinco da tarde, vício adquirido na Inglaterra e não curado nos cinquenta e tantos anos de Estados Unidos. Numa torre de três bandejas, exibia-se na ordem prescrita uma seleção de sanduichinhos salgados e várias tortas; em outra, apresentavam-se os *scones* com creme fresco e geleia. Nada de chá em saquinhos, que Samuel chamava de chá na camisinha; usavam as xícaras de porcelana de Limoges que Nadine havia herdado de sua família e as chaleiras de prata, resgatadas do sótão. Era uma chatice o polimento daquelas peças, mas Anita ajudava nessa tarefa que não exigia boa visão. As duas aproveitavam esse tempo para assistirem à telenovela em espanhol, pois Leticia tinha posto na cabeça que a menina devia conservar sua língua materna, caso contrário, como ia se comunicar com a Tita Edu?

Naquele sábado Selena e Frank veriam Anita pela primeira vez depois do transplante de córnea. A venda nos olhos havia sido retirada depois de três dias. Segundo o médico, a operação tinha sido um sucesso, e ele esperava que não houvesse rejeição. Eles quase sempre viam Anita de shorts ou de calças, mas daquela vez ela os recebeu com um vestido de festa confeccionado por Leticia.

— Preciso andar de óculos e não posso esfregar os olhos. Em setembro vou à escola. Não é de cegos — disse Anita.

— Vai entrar no quarto ano, que lhe corresponde por idade, mas tem preparo para entrar no quinto — acrescentou Samuel.

— Agora estou enxergando nublado, mas depois vou enxergar bem — disse a menina e foi para a cozinha ajudar Leticia, seguida de perto pelo cachorro.

Samuel e Leticia não tinham conseguido informar Anita do destino de sua mãe, porque, cada vez que tentavam, não encontravam palavras. Em vista disso, conseguiram uma psicóloga, que ia à casa duas vezes por semana. Era especialista em crianças com trauma, falava espanhol porque havia emigrado muito jovem do México e compreendia que naquele caso não se podia usar o Zoom. No início, Anita se negava a falar com ela, como se adivinhasse que se tratava de uma mensageira de desgraças, mas, depois de três ou quatro sessões, aprendeu a se descontrair. A psicóloga teve a ideia de trazer a avó de El Salvador, para ajudá-los a dizer a verdade à neta.

Frank conseguiu um visto para Eduvigis em menos de 24 horas, graças ao amigo Phil Doherty. A avó viajou pela primeira vez na vida. Chegou com três malas enormes, cheias de presentes: café, doce de tamarindo, queijos, inclusive uma caixa com pedaços de frango frito, comprada no aeroporto antes de embarcar. Lola lhes mandou uma garrafa de *chaparro*, o licor artesanal de milho e açúcar, típico do país, que Eduvigis passou pela fronteira de contrabando. Tita Edu se instalou num dos cômodos das antigas damas de virtude duvidosa, que Leticia lhe preparara com esmero, e dedicou-se a mimar a neta durante uma semana antes de ir lhe dando aos poucos a terrível notícia sobre sua mãe.

Anita pareceu encarar bem sua tragédia, até a Tita Edu voltar a El Salvador. Conteve a dor com um esforço sobre-humano para que a avó partisse tranquila e depois lhe deu vazão. Passou um período muito duro em que se alternavam acessos de choro e de fúria, atirava pratos e copos ao chão, escondia-se durante horas com o cachorro e voltou a urinar na cama, mas com a terapia, a companhia permanente de Paco e a atenção paciente de Samuel e Leticia, foi percorrendo as etapas naturais do luto. Apegou-se a Leticia, a quem seguia pela casa, com quem dormia de mãos dadas, com a boneca Didi no travesseiro. A mulher teve de suportar que Paco também compartilhasse a cama, porque se cansou de mandá-lo para o chão; o cachorro esperava um tempo e, quando percebia que não havia perigo, subia furtivamente pelo lado de Anita e se enroscava a seu lado. Nos meses seguintes foram-se espaçando as birras da menina, até desaparecerem totalmente.

Uma tarde, durante aquele doloroso período, Samuel anunciou a Anita e Leticia que tinha algo importante para dizer. Convocou-as a seu lugar sagrado, o salão de música, onde se sentaram em círculo estreito com Paco aos pés, iluminados pela luz suave dos abajures de vidro Tiffany, rodeados por belos instrumentos musicais que ele havia colecionado. Samuel não tinha o costume de falar de si mesmo, era um homem muito fechado, só havia contado seus pensamentos e lembranças mais íntimas com sua adorada Nadine, mas fazia várias semanas que presenciava o sofrimento de Anita e chegou a senti-lo como próprio. As lágrimas da menina acabaram com sua lendária reserva. Naquela tarde memorável, ele começou a falar com hesitação, mas logo o dique que continha suas dores mais antigas se rompeu, e tudo o que ele havia calado por tanto tempo saiu aos borbotões. Contou à mulher e à menina a sua infância traumática, a perda da família, o exílio num lugar estranho e hostil, falou sobre o que é ser órfão, sempre solitário, sempre assustado, até que Luke e Lidia Evans aparecessem em sua vida para lhe dar consolo e amor. Terminou soluçando, e Anita e Leticia também choraram. Finalmente, abriu o estojo do violino, tirou a medalha e a pôs na mão de Anita.

— O que é isso? — perguntou a menina, apalpando-a com seus dedos sensíveis.

— É uma medalha mágica. Pertenceu a um herói de guerra, o coronel Theobald Volker. Recebi dele como empréstimo, mas ele morreu há muito tempo e nunca tive a oportunidade de devolvê-la. Está comigo desde os cinco anos.

— Por que é mágica?

— Se você a esfregar, ela lhe dará coragem. Para mim sempre deu certo. Agora é sua, Anita. Pode esfregá-la toda vez que precisar, o poder dela nunca se desgasta — disse Samuel, prendendo a medalha na blusa da menina.

A psicóloga avisou Samuel e Leticia de que, apesar de Anita começar a aceitar o ocorrido e de ter-se entregado ao afeto que eles lhe davam, seria muito difícil superar o temor de ser abandonada, porque havia sofrido perdas em demasia numa idade muito vulnerável. No entanto, Samuel era mais otimista, porque a menina passava horas ao piano, perdida nas notas, e ele conhecia melhor que ninguém o poder da música. Isso havia mitigado a angústia e a insegurança de sua infância e dera sentido à sua existência. Desejava o mesmo para Anita.

Um dia a menina convidou Samuel, com o maior sigilo, a ir com ela a Azabahar. O velho tinha ouvido aquele nome nos murmúrios de Anita, quando falava sozinha, mas ela nunca se referira àquele lugar abertamente com ninguém, nem mesmo com Leticia. Ele compreendeu que era sinal de imensa confiança; ia cruzar um umbral mítico pela mão dela. Desse modo, Samuel foi o único a conhecer Azabahar, a estrela dos espíritos, e, como soube guardar segredo, pôde ir para lá com frequência. No hospital, antes de ser anestesiada para a operação dos olhos, a menina deu permissão a Samuel para revelar o segredo a Leticia, Frank e Selena. Prometeu que logo os levaria lá também.

— Leticia me contou por telefone que Anita já não fala com Claudia — comentou Selena com Samuel, enquanto esperavam o chá.

— Claudia não desapareceu, agora está com a mãe em Azabahar, Anita também convidou Nadine e quando formos, nos encontraremos com as três — respondeu Samuel em tom casual.

— O que está dizendo, Samuel? — perguntou Frank, entre inquieto e gozador.

— Ainda não estou senil, não se preocupem — respondeu Samuel, sorrindo. — Eu achava que Azabahar era o refúgio de Anita, o lugar aonde ela ia quando precisava escapar deste mundo, mas agora sei que é mais que isso. É o reino misterioso da imaginação e só se pode ver bem com o coração.

Agradecimentos

Johanna Castillo, por sua amizade e sua ajuda.

Agência Balcells, pelo carinho e pela lealdade.

Jennifer Hershey, minha sábia editora em Ballantine.

Frances Ridley, minha tradutora para o inglês, que contribuiu para a versão final.

Jorge Manzanilla, como sempre.

Juan Allende, por revisar infinitos rascunhos.

Roger Cukras, por me suportar e gostar de mim.

Nicolás Frias, por cuidar de minha sanidade mental (e da dos que me cercam quando não estou escrevendo).

Lori Barra e Sarah Hillesheim, por seu trabalho com refugiados e migrantes em minha fundação.

Annie Toxqui López, pelas valiosas informações sobre El Salvador.

Elizabeth Subercaseaux e John Hasset, por lerem o manuscrito com grande atenção.

Cathy Cukras, por sua ajuda em relação à cegueira de Anita.

Cristóbal Basso, por seu conhecimento sobre música para deficientes visuais.

Sonia Nazario, por suas reportagens sobre refugiados e imigrantes na fronteira sul dos Estados Unidos.

María Woltjen e Olivia Peña, do Young Center for Immigrant Children's Rights.

Lauren Dasse, Gabriela Corrales e Lillian Aponte Miranda, do Florence Immigrant and Refugee Rights Project.

Wendy Young, da Kids in Need of Defense (KIND).

Susanne Cipolla e Kely Reynolds, do Olmos & Reynolds Law Group LLP.

Michael Smith e a irmã Maureen, do East Bay Sanctuary Covenant.

Sasha Chanoff, do Refuge Point.

Women's Refugee Commission.

Jacob Soboroff, por seu livro *Separated*.

Este livro foi composto na tipografia Adobe
Garamond Pro, em corpo 11,5/16,5, e impresso
em papel off-white no Sistema Cameron da
Divisão Gráfica da Distribuidora Record.